Y0-ABP-680

Nationalgalerie Berlin · Museumsinsel

Peter Betthausen

NATIONALGALERIE BERLIN

Museumsinsel

Prestel-Verlag

© Prestel-Verlag, München 1990
© für die abgebildeten Werke, soweit dies nicht bei den Künstlern oder deren
Erben liegt: Ernst Barlach, Giorgio de Chirico, Georg Kolbe,
Hans Purrmann, Franz Radziwill, Max Slevogt
bei VG Bild-Kunst, Bonn 1990;
Lyonel Feininger, Alexej von Jawlensky, Karl Schmidt-Rottluff bei
COSMOPRESS, Genf 1990; Otto Dix bei Dix Erben, Baden/Schweiz;
Erich Heckel bei Nachlaßverwaltung Heckel, Hemmenhofen;
Ernst Ludwig Kirchner bei Dr. Wolfgang und Ingeborg Henze,
Campione d'Italia; Emil Nolde bei Nolde-Stiftung, Seebüll;
Oskar Schlemmer bei Familie Schlemmer, Stuttgart.

Umschlag: Lyonel Feininger, Teltow II, 1918
Frontispiz: Nationalgalerie, Blick ins Treppenhaus

Gestaltung: Petra Lüer, München

Satz: Max Vornehm, München
Offsetlithographien: Repro Dörfel, München
Druck: Auer Druck GmbH, Donauwörth
Photos: Nationalgalerie Berlin

Printed in Germany
ISBN 3-7913-1111-5

INHALT

Nationalgalerie, Blick ins Treppenhaus

GRÜNDUNG UND GEBÄUDE DER NATIONALGALERIE

Den Anstoß zur Gründung der Nationalgalerie gab der Berliner Bankkaufmann Joachim Heinrich Wilhelm Wagener, der am 16. März 1859 testamentarisch verfügte, daß seine Sammlung zeitgenössischer Gemälde in den Besitz des Staates übergehen sollte, unter der Bedingung, sie bliebe »ungetrennt erhalten und [werde] ... in einem geeigneten Lokale aufgestellt und allen Künstlern und Kunstfreunden stets zugänglich gemacht...‹, um sich an den einzelnen Gemälden zu erfreuen oder auch dieselben zu kopieren oder sonstige Studien zu machen«. Wie sonst mit der Schenkung zu verfahren sei, wurde dem ›Allerhöchsten Ermessen‹ des Königs anheimgestellt, jedoch abschließend angeregt, die Sammlung als eine ›nationale Galerie‹ fortzuführen, »welche die neuere Malerei auch in ihrer weiteren Entwicklung darstellt, und den Zweck, der mir bei der Begründung der Sammlung vorgeschwebt hat, vollständiger erfüllt, als dies während der kurzen Lebensdauer eines Einzelnen möglich ist«.

Am 18. Januar 1861 starb Wagener. Am 17. Februar sandte Wilhelm I. den Hinterbliebenen ein Dankschreiben, in dem er das Wagenersche Vermächtnis als ein Zeichen ›warmer Vaterlandsliebe‹ würdigte. Gleichzeitig wies er den Kultusminister Bethmann-Hollweg an, sich der Angelegenheit anzunehmen und die Sammlung an einem ihr würdigen Ort unterzubringen. Bereits am 22. März, dem Geburtstag des Königs, wurde die ›Wagenersche und National-Galerie‹, bereichert durch eine Anzahl von Gemälden aus dem Besitz des Königs, im Obergeschoß der Akademie der Künste Unter den Linden feierlich eröffnet.

Anders als sein künstlerisch begabter Bruder Friedrich Wilhelm IV. war Wilhelm I. eher nüchtern zu nennen. Sein Engagement für die zeitgenössische Kunst in Preußen hatte zweifellos hauptsächlich politische Gründe. Die Idee einer Nationalgalerie stammte weder von ihm noch von Wagener. Sie war in den vierziger Jahren des 19.Jahrhunderts aufgekommen und von der Künstlerschaft aufgegriffen worden, die vom Staat die Anerkennung der zeitgenössischen Kunst als ›National-Angelegenheit‹, das heißt die Bereitstellung von Ankaufsmitteln, und die Errichtung von ›National-Kunst-Galerien‹ verlangten. Nach dem Scheitern der Revolution von 1848 war diese Bewegung abgeflaut, hatte mit dem Beginn der ›Neuen Ära‹, der Regentschaft Wilhelms I., durch Petitionen von Künstlern aus Berlin, Düsseldorf, Königsberg und Danzig aber wieder Auftrieb erhalten.

Ein vom Kultusminister berufener Künstlerbeirat empfahl 1859 die Gründung einer Nationalgalerie mit einem jährlichen Ankaufsfond aus staatlichen Mitteln und einer ›Kunstkommission‹, die den Kultusminister bei Ankäufen beraten sollte. Im Januar 1861 schließlich richteten 191 Künstler einen Appell an den preußischen Landtag, die ›vaterländische Kunst‹ betreffend: In einer Nationalgalerie »einen vollen Überblick der Kunstentfaltung der Gegenwart vor Augen zu haben, könne nur segensreich wirken.«

Wagener hatte bei der Abfassung seines letzten Willens eine Förderung dieser Bestrebungen der Künstler um Absicherung ihrer Existenz durch eine geregelte staatliche Ankaufstätigkeit mit im Auge gehabt, und Wilhelm I. war die Möglichkeit willkommen, sich als Förderer der zeitgenössischen Kunst darzustellen. Außerdem sollte die Gründung einer Nationalgalerie in Berlin vermutlich auch signalisieren, daß der neue König liberalen Ideen weiterhin geneigt bleiben wollte.

Wagener hatte 1815 mit dem Sammeln von Gemälden begonnen und als erstes die ›Gotische Kirche auf einem Felsen am Meer‹ von Karl Friedrich Schinkel (Neue Nationalgalerie, Berlin-West) erworben. Das 1828 herausgegebene erste Verzeichnis seiner Bilder zählt bereits etwa siebzig Nummern, darunter vor allem Berliner, Düsseldorfer und Münchener Künstler. Später kamen Holländer, Belgier, Franzosen, Italiener hinzu. Wagener sammelte also auch Künstler des europäischen Auslands – eine Tatsache, auf die sich später gern diejenigen beriefen, die in der Nationalgalerie auch die internationale Kunst angemessen vertreten sehen wollten.

Wagener hinterließ insgesamt 292 Gemälde, für die er, wie im Testament ausdrücklich erwähnt wird, die stattliche Summe von mehr als 100 000 Talern ausgegeben hatte.

ALFRED RETHEL
Der heilige Bonifazius, 1852, Öl auf Leinwand, 106,5 x 67 cm
Aus der Sammlung Wagener

In der Wagenerschen Sammlung spiegeln sich das Weltver-
ständnis und der Geschmack eines bürgerlichen Privatmannes
der Biedermeierzeit, der das Nahe und Vertraute, das Gemütvolle
und Anekdotische dem Unbekannten und Abgründigen vorzog.
Sieht man von zwei Arbeiten Caspar David Friedrichs ab, die
mehr zufällig hineingelangt zu sein scheinen, fehlen in ihr die
großen Namen wie Blechen, Menzel, Richter, Schwind oder von
den Ausländern Delacroix und damit die Zeiten überdauernde

9

Meisterwerke. Den überwiegenden Teil der Sammlung haben schon Hugo von Tschudi und Ludwig Justi ohne falsche Pietät gegenüber Wageners Testament in das Depot verbracht. Einzelne Stücke verdienen es jedoch, von Zeit zu Zeit hervorgeholt und gezeigt zu werden. Zu den glücklichen Erwerbungen darf man gewiß *Der heilige Bonifazius*, ein Jugendwerk ALFRED RETHELS aus dem Jahre *1832*, zählen. Wagener kaufte es 1837 in Düsseldorf, wo er bei den dortigen Künstlern immer ein gern gesehener Gast war. Es wird berichtet, daß ein für Herbst 1834 angekündigter Besuch für große Aufregung gesorgt und, als die Reise abgesagt wurde, tiefe Enttäuschung verursacht hatte.

Zu Wageners Hinterlassenschaft gehört seine die Gemälde-Erwerbungen begleitende umfangreiche Korrespondenz der Jahre 1834 bis 1859, die als kunsthistorische Quelle von bedeutendem Wert ist. Ein großer Teil dieser Papiere, darunter über 1000 Briefe von Künstlern und anderen Geschäftspartnern, wird im Archiv der Nationalgalerie aufbewahrt.

Die Unterbringung der ›Wagenerschen und National-Galerie‹ in der Akademie der Künste konnte natürlich keine Lösung von Dauer sein. In den Jahren 1862–1865 entwarf Friedrich August Stüler deshalb im Auftrag Wilhelms I. Pläne für den – nach dem Alten Museum (1823 von Karl Friedrich Schinkel) und dem Neuen Museum (1843–46 ebenfalls von Stüler) – dritten Bau der Berliner Museumsinsel. Ausgeführt wurde er von Johann Heinrich Strack mit einem Kostenaufwand von 3 Millionen Mark in den Jahren 1866–1876, zeitweilig unterbrochen durch einen Bauarbeiterstreik und den deutsch-französischen Krieg.

Die äußere Gestalt dieser spätklassizistischen Architektur, eines römischen Pseudo-Peripteros korinthischer Ordnung mit apsidialem Abschluß, geht auf Vorarbeiten mehrerer Architekten zurück. Zu nennen sind hier der Entwurf Friedrich Gillys d. J. für ein Denkmal Friedrichs II. aus dem Jahre 1797, Skizzen Karl Friedrich Schinkels für ein weiteres Friedrich-Denkmal aus dem Jahre 1829 und schließlich ein Projekt Friedrich Wilhelms IV. Dieses sah eine durch Säulengänge und offene Hallen verbundene Forum-Anlage auf der Museumsinsel vor, bestehend aus Museen, einer Akademie, Verwaltungsgebäuden und in deren Mitte ein von Säulen umgebener korinthischer Tempel mit Hörsälen und einer Aula, erhöht durch einen mächtigen Sockel. An der Stirnseite des Stülerschen Baus mit ihrer übergiebelten

Säulenvorhalle befindet sich eine aufwendige Treppenanlage, die den Eingang umschließt und zum Hauptgeschoß hinaufführt. Sie dient auch als Unterbau eines 1886 aufgestellten Reiterdenkmals Friedrich Wilhelms IV. von Alexander Calandrelli. Der plastische Bauschmuck, wie die Personifikationen der Bildhauerei und der Malerei am Beginn der Treppe, weiter oben die des Kunstgedankens und der Kunsttechnik, in der Vorhalle ein Relieffries mit Gestalten aus der deutschen Kunstgeschichte, im Giebelrelief Germania als Beschützerin der Künste und Personifikationen der Baukunst, Bildhauerkunst und Malerei, weisen auf die Bestimmung des Gebäudes hin. Ebenso die zwischen den Halbsäulen eingemeißelten 36 Namen deutscher Künstler seit dem Mittelalter. Die Inschrift (›DER DEUTSCHEN KUNST MDCCCLXXI‹) mit ihrem auf die Reichsgründung bezugnehmenden Datum, hebt ihre nationale Bestimmung ausdrücklich hervor und artikuliert so anschaulich das Repräsentationsbedürfnis und Selbstverständnis des gerade entstandenen deutschen Kaiserreiches, dem die Künste Schmuck und Stütze sein sollten.

Zur Steigerung des würdevollen, feierlichen Charakters der Nationalgalerie und um sie aus ihrer städtebaulichen Umgebung abzusetzen, ohne sie jedoch abzuschließen, wurde das Gebäude von einem Ring von Säulengängen umgeben, der allerdings durch spätere Einbauten verunstaltet und beim Bau des Pergamonmuseums teilweise beseitigt wurde.

In das Innere des Hauses gelangt der Besucher durch den zu ebener Erde liegenden Haupteingang zwischen den Treppenläufen. Er tritt zunächst in einen kryptenartigen, anfangs als Wagen-

Nationalgalerie
Ansicht von Südosten

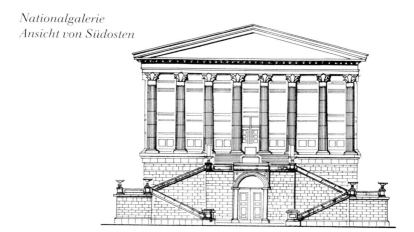

unterfahrt dienenden Vorraum, dessen Gewölbe acht aus einem märkischen Findling geschlagene Granitsäulen tragen, und von dort in eine Vorhalle mit Kassettendecke und sechs prächtigen Säulen aus Carrara-Marmor.

Das untere Ausstellungsgeschoß beginnt mit einem Quersaal. Die ursprüngliche Innendekoration der Nationalgalerie ist hier noch fast vollständig erhalten. Die Gemälde der Bogenfelder und Deckenwölbungen stellen Szenen aus der Nibelungensage dar, 1873 von Ernst Ewald ausgeführt. Die folgenden Räume zu beiden Seiten der Mittelachse sind das Ergebnis eines Umbaus der Jahre 1911–1913. Ursprünglich befanden sich links vom Quersaal eine Skulpturenhalle und ein Gemälderaum, auf der anderen Seite vier weitere Gemälderäume. Verändert wurden auch der sich anschließende zweite Quersaal und die Apsis, deren Kabinette früher nicht untereinander verbunden, sondern fächerartig auf den Quersaal bezogen und von dort zu betreten waren. Die Umgestaltung dieses Gebäudeteils geschah hauptsächlich deshalb, um günstigere Lichtverhältnisse und mehr Hängefläche zu gewinnen, nicht zuletzt aber auch aus einer Abwehrhaltung gegen den gründerzeitlichen Prunk der Strackschen Innendekoration.

Über das seitlich angeordnete Treppenhaus gelangt man in die beiden oberen Stockwerke, vorbei an einem Figurenfries (1870–1875 von Otto Geyer) mit Ereignissen und Gestalten aus der deutschen Kulturgeschichte. Die hohen Oberlichtsäle des mittleren Hauptgeschosses, denen ein kleiner Kuppelraum mit Resten des alten malerischen und plastischen Schmuckes (Musenfiguren von Alexander Calandrelli und Ludwig Brodewolf) vorgelagert ist, bildeten das Herzstück der Nationalgalerie. Sie waren

Grundriß des 1. Hauptgeschosses
(Zustand vor dem Umbau von 1911–14)

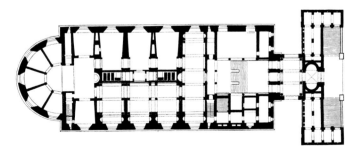

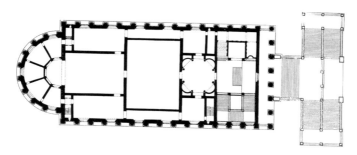

Grundriß des III. Hauptgeschosses

Grundriß des II. Hauptgeschosses

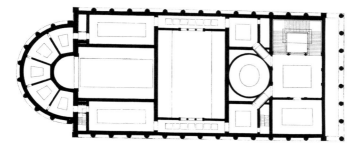

zur Aufnahme der riesigen Kartons von Peter Cornelius zu einer nicht ausgeführten Grablege für die Hohenzollern am Berliner Dom und zu den Wandbildern der Münchener Glyptothek (im Zweiten Weltkrieg zerstört) bestimmt. Vor einer Nische in der Mittelachse stand eine feuervergoldete Kolossalbüste des Künstlers. Dekorativer Schmuck an den oberen Wandflächen, ausgeführt von Düsseldorfer Malern, bezog sich auf die christliche und heidnische Ideenwelt der Kartons. Von all dem ist nichts geblieben. Die Kartons kamen ins Depot. Zwei davon kann man heute rechts und links des Einganges zum unteren Geschoß sehen. Da die hohen Cornelius-Säle bis in die dritte Etage hinaufgereicht hatten, erhielten sie 1935 eine Zwischendecke. So wurden Raumproportionen geschaffen, die die Hängung von normalformatigen Gemälden ermöglichten. Darüber befindet sich jetzt ein ungenutzter Hohlraum, umschlossen von den gleichen schmalen Räumen und Apsiskabinetten wie im Mittelgeschoß. Das Treppenhaus endet in einem schönen, harmonischen Foyer. Der Raum an der Südwestecke beherbergt seit 1888 die Fresken aus der Casa Bartholdy, von denen noch die Rede sein wird.

Moritz von Schwind
Die Rose oder *Die Künstlerwanderung*, 1846/47
Öl auf Leinwand, 216 x 134 cm
1874 erworben

»DER DEUTSCHEN KUNST...«

Solange das eigene Haus auf der Museumsinsel im Bau war, genoß, wie schon erwähnt, die ›Wagenersche und National-Galerie‹ Gastrecht bei der Kunstakademie, durch deren Direktor – dies war seit 1861 der Historienmaler Eduard Daege – sie auch verwaltet wurde. Über Ankäufe entschieden jedoch der Kultusminister und die ›Kommission zur Beratung über die Verwendung des Fonds für Kunstzwecke‹, die sogenannte Landeskunstkommission, der neben Daege sechs weitere Künstler aus Berlin, Düsseldorf und Königsberg angehörten. Sie verteilten die jährlich aus dem preußischen Staatshaushalt zur Förderung der zeitgenössischen Kunst zur Verfügung stehende Summe von 300000 Mark, hatten dabei aber mehr ihre eigenen Interessen als die der Nationalgalerie im Auge. Gekauft wurden vornehmlich Berliner und Düsseldorfer Künstler, Ausländer so gut wie nicht. Immerhin waren unter den 150 Gemälden und 16 Skulpturen, die bis 1876 hinzuerworben wurden, Menzels ›König Friedrichs d. Gr. Tafelrunde in Sanssouci‹ (Kriegsverlust) und MORITZ VON SCHWINDS *Die Rose* oder *Die Künstlerwanderung*.

Die schon reiche Sammlung von Kartons vermehrten fünf Entwürfe Alfred Rethels zu den Karls-Fresken im Aachener Rathaus. Nicht zu vergessen die zahlreichen Geschenke und Stiftungen, die der Nationalgalerie in diesen – und auch in späteren – Jahren in nicht geringem Maße zuteil wurden, darunter hohe finanzielle Zuwendungen aus privater Hand wie die Geldstiftungen eines Herrn von Rohr und des Bildhauers August Kiß.

Eduard Daege trat 1875 in den Ruhestand. Sein Nachfolger wurde nicht wieder ein Maler – die Zeit, da Künstler als die besten Museumsdirektoren galten, war vorüber –, sondern ein Gelehrter, der Leipziger Privatdozent für neuere Kunstgeschichte Max Jordan, ein guter Kenner der italienischen Renaissance und ein Anhänger der zeitgenössischen idealistischen deutschen

Kunst; Peter von Cornelius hatte er 1861 in Rom kennengelernt. Die Berufungsurkunde trägt das Datum vom 1. Juli 1874 und verpflichtet den neuen Direktor dem »Ziele einer umfassenden Verherrlichung der deutschen Kunst und der großen Männer und Ereignisse des 19. Jahrhunderts durch die Kunst«.

Diesem Zwecke sollte auch das neue Galeriegebäude auf der Museumsinsel dienen, das allmählich seiner Vollendung entgegenging. Am 1. Januar 1876 war es bezugsfertig, und am 21. März fand die Einweihung in Anwesenheit des preußischen Königs und deutschen Kaisers Wilhelm I., zahlreicher Fürsten und anderer hoher Persönlichkeiten statt. Am folgenden Tage, dem Geburtstage Seiner Majestät, strömte das Publikum in hellen Scharen herbei, und auch in den folgenden Jahren ließ das allgemeine Interesse an dem prunkvollen neuen Museum im Herzen der Reichshauptstadt kaum nach. Die meisten kamen, um das Auge an der prachtvollen Ausstattung zu laben und sich an handlungsreichen, erzählenden Gemälden und Skulpturen zu erbauen. Diesem Bedürfnis trug auch Jordans ›Beschreibendes Verzeichnis der Kunstwerke in der Königlichen National-Galerie zu Berlin‹ Rechnung, das anläßlich der Eröffnung des Hauses erschien. Jedes Werk wird so ausführlich wie möglich von seiner gegenständlichen Seite her beschrieben, dabei fällt kaum ein Wort, das sich auf Formales bezieht.

Diesem Hang zum Literarischen kamen Gemälde wie SCHWINDS *Rose oder die Künstlerwanderung* besonders entgegen. Über sie schreibt Jordan: »Auf dem Altan einer festlich geschmückten, von Laubwerk umschlossenen Ritterburg, von welchem man auf den Weg hinabschaut, sind fünf Frauen und Mädchen um die fürstliche Braut versammelt, die sich noch den Kranz ins Haar winden läßt; zwei deuten, indem sie die Zweige umbiegen, auf das Nahen des Bräutigams, welcher unten im Thal soeben mit ritterlichem Gefolge aus dem Walde hervorreitet, eine dritte hat Rosen zum Willkomm herbeigebracht; von den Blumen ist eine über die Brüstung herabgefallen auf den Weg, auf welchem die Spielleute zum Fest herbeiziehen: voran der Baßgeiger, von dem in der Burgthür stehenden Schloßgesinde hochmühtig erwartet, der Dudelsackpfeifer keuchend mit Stock und Notenblatt, hinter ihm ein buckeliger Kauz, die Laute unter dem Arm, im Gespräch mit dem zigeunerhaften Kollegen, welcher die Schlagzither am Stocke trägt; zuletzt der hagere Clarinettist, das verkannte Genie; zu seinen Füßen liegt die Rose, nach der er sich, süsser Gedanken voll, niederbückt. In der Ferne Gebirge.«

Jordans umfangreicher, in den folgenden Jahren immer wieder aufgelegter Katalog stellte eine beachtliche Leistung dar, die auf dem neuesten Stand der Katalogisierung fußte, wie sie auf dem Wiener kunsthistorischen Kongreß von 1873 als für alle Museen verbindlich erklärt worden war. Jedem Künstler ist eine ausführliche Biografie beigegeben. Außerdem erwähnt Jordan, daß die Hängung der Gemälde in der Galerie nach ästhetischen und nicht nach historischen Gesichtspunkten erfolgt sei, was heißen sollte, daß er von der üblichen, in der Gemäldegalerie des Alten Museums und bis dahin in der Sammlung der Nationalgalerie praktizierten, chronologischen Anordnung nach Schulen abgewichen war, ohne natürlich in das absolute Gegenteil zu verfallen. Jordan wollte eine Galerie, und dies war ein moderner Gedanke, die nicht nur kunsthistorische Entwicklungsprozesse, sondern vor allem Kunst-Werke vorführte und Beziehungen zwischen ihnen herstellte, die jenseits des Historischen lagen. Überdies hatte dieses Verfahren eine praktische Seite: Es kaschierte die Lücken der noch jungen Sammlung deutscher Kunst des 19.Jahrhunderts, die erst in den kommenden Jahrzehnten allmählich geschlossen werden konnten.

Wie sein Vorgänger Daege wurde Jordan bei seinem Amtsantritt automatisch Mitglied der Landeskunstkommission, die weiterhin eine Interessenvertretung der Künstler blieb und in der der Direktor der Nationalgalerie nur eine Stimme hatte. Ihm wurde jetzt jedoch in einem weit stärkeren Maße als bisher das Recht zuerkannt, Neuerwerbungen für seine Galerie selbst in die Wege zu leiten und stellvertretend für den Kultusminister darüber in der Landeskunstkommission abstimmen zu lassen. Gravierende Konflikte hat es in Jordans zweiundzwanzigjähriger Amtstätigkeit – im Gegensatz zu seinen Nachfolgern Tschudi und Justi – zwischen ihm und der Landeskunstkommission nicht gegeben; sei es, daß er die ästhetischen Anschauungen ihrer Mitglieder teilte oder sei es, daß er der Künstlerschaft Mitsprache bei der Erwerbungstätigkeit des führenden Museums zeitgenössischer Kunst im Lande als ein demokratisches Recht zubilligte.

Angesichts dieser Konstellation kann es kaum verwundern, wenn in diesen Jahren manches in die Sammlung gelangt ist, was dem Urteil späterer Zeit nicht standhalten konnte. Außerdem

entsteht, wenn viele und gar Behörden mitreden, selten etwas
Geschlossenes. Dennoch hat Jordans Tätigkeit zur Erwerbung
zahlreicher Meisterwerke beigetragen und so deutlich sichtbare
Spuren hinterlassen. Vor allem verdanken wir ihm die Begründung der großen Menzel-Sammlung. 1875 gelang ihm der An-
kauf zweier Hauptwerke des Künstlers, des ›Flötenkonzerts Friedrichs d. Gr. in Sanssouci‹ (Neue Nationalgalerie, Berlin-West) und
des *Eisenwalzwerkes*, das der Bankier Adolph von Liebermann
wenige Monate vorher von Menzel für 11 000 Taler gekauft hatte
und für das die Nationalgalerie jetzt schon 30 000 Taler zahlen
mußte. Jordan erkannte als erster den kunstgeschichtlichen Rang
des *Eisenwalzwerkes*, das er auch *Moderne Cyclopen* nannte, und
beschrieb es im Katalog der Nationalgalerie.

ADOLPH
VON MENZEL
Das Eisenwalzwerk
1872–1875
Öl auf Leinwand
158 x 254 cm
1875 erworben

Auf MENZELS Gemälde sehen wir das Innere des Hüttenwer-
kes im oberschlesischen Königshütte, eines der modernsten deutschen Industriebetriebe der Zeit. In die Tiefe des Raumes
erstreckt sich ein Walzenstrang, an dem glühende Eisenstücke zu
Bahnschienen geformt werden. Menzel hat den Produktionspro-
zeß und die Arbeiter 1872 an Ort und Stelle genauestens beobachtet und später in Berliner Betrieben sein Wissen vertieft; zahlreiche Studienblätter legen davon ein beredtes Zeugnis ab. Im
Mittelpunkt der Komposition steht eine sorgfältig gebaute, stark
bewegte Gruppe von Arbeitern, die die feuersprühende Luppe,
die in Licht und Farben intensivste Partie des Gemäldes, in die
Maschine dirigiert. Menzel hat sie mit Bedacht unter dem
Schwungrad der Dampfmaschine im Hintergrund plaziert,

wodurch sie einen zusätzlichen Akzent erhält. Das Radsegment wird auf diese Weise zu einer Art Pathosformel, das die ihre ganze Kraft und Geschicklichkeit einsetzenden Arbeiter in mythische Riesen, ›moderne Cyclopen‹, verwandelt.

Das *Eisenwalzwerk* schildert zweifellos gesehene Wirklichkeit, ist aber weder ein Genrebild noch eine Reportage. Man kann es als das Werk eines Malers betrachten, der den durch die Maschine herbeigeführten gesellschaftlichen Fortschritt bejaht, der hier dem Industriezeitalter künstlerische Gestalt und historische Größe zu verleihen sucht.

PETER CORNELIUS
Joseph gibt sich seinen Brüdern zu erkennen, 1816/17
Fresko mit Tempera übermalt
236 x 290 cm
Seit 1887 in der Nationalgalerie

Erwähnt sei auch, daß Jordan im Jahre 1888 von Menzels Kunsthändler Hermann Pächter ein großes Konvolut von Arbeiten auf Papier erwarb, darunter mehr als 1000 Zeichnungen und Ölskizzen zu Friedrich d. Gr. und seiner Zeit und das ›Kinderalbum‹. Besondere Verdienste hat sich Jordan um *Karl Blechen, Arnold Böcklin, Ludwig Feuerbach*, auch um *Fritz von Uhde* und *Max Liebermann* und nicht zuletzt um *Overbeck, Schadow, Veit* und *Cornelius*, die sogenannten Lukasbrüder, erworben. Deren damals schon berühmter, für die neuere deutsche Kunst wegweisender Wandbildzyklus aus der römischen Residenz des preußi-

schen Gesandten, der ›Casa Bartholdy‹ auf dem Monte Pincio,
gelangte 1888 in die Nationalgalerie, nachdem die Fresken in
einer schwierigen Prozedur aus der Wand herausgesägt und in
einem Spezialwaggon der Eisenbahn von Rom nach Berlin
gebracht worden waren.

Diese *1816/17* gemalten Fresken erzählen die *Josephs-
geschichte aus dem Alten Testament*, wie Joseph verkauft wird
(FRIEDRICH OVERBECK) und die Brüder dem Vater den blutigen
Rock bringen (WILHELM SCHADOW), wie Joseph vor Potiphars
Weib flieht (PHILIPP VEIT), wie er im Gefängnis den Kämmerern
des Pharao (WILHELM SCHADOW) und dem Pharao selbst ihre
Träume auslegt (PETER CORNELIUS), und schließlich die Wieder-
vereinigung mit den Brüdern. Cornelius hat hier den dramati-
schen Augenblick gewählt, da sich Joseph den Seinen zu erkennen gibt. Benjamin, der jüngste und an allem unschuldig, wirft
sich ihm stürmisch an die Brust. Den anderen Brüdern hat es die
Sprache verschlagen, einige knien demütig vor Joseph, manche
stehen, Schlimmes befürchtend, etwas abseits. Cornelius hat ihre
Seelenlage durch sprechende Gesten und differenzierte Mimik
überzeugend verbildlicht.

Der klargebaute Innenraum öffnet sich in eine Landschaft, die
keinen Zweifel darüber aufkommen läßt, wo wir uns befinden.
Auch die Formgesinnung dieser monumentalen Komposition
weist eindeutig auf italienische Quellen hin. Cornelius weiß sich
hier in der Tradition der Malerei von Giotto bis Raffael. Als stillen
Beobachter der erregten Szene sieht man links am Rand Jakob
Salomon Bartholdy, den Förderer und Auftraggeber der Lukasbrüder.

Von den Plastiken und Skulpturen, die in dieser Zeit erworben
wurden, läßt sich ähnliches wie von den Gemälden sagen. Viele
sind heute nur noch von kunsthistorischem Interesse. Als Meisterwerk hat sich dagegen ADOLF VON HILDEBRANDS *Jugendlicher
Mann* behaupten können, der *1884* in Florenz entstanden ist. Er
wurde im selben Jahr von dem Berliner Kunsthändler Fritz Gurlitt erworben, in dessen Galerie die Marmorskulptur zum erstenmal
ausgestellt worden war.

In aller Klarheit wird hier die Eigenheit von Hildebrands
Kunst anschaulich. Ihre Unvereinbarkeit mit der zeitgenössischen, in Berlin vor allem von Reinhold Begas vertretenen neo-
barock-naturalistischen Richtung und – wenn man über Deutsch-

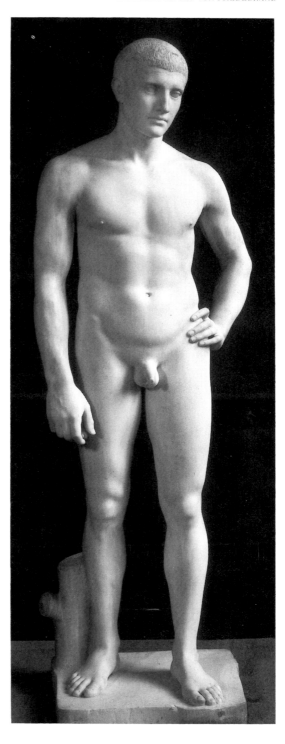

ADOLF VON
HILDEBRAND
*Jugendlicher
Mann*, 1884
Marmor
H. 175 cm
1884 erworben

Max Liebermann
Flachsscheuer in Laren, 1887
Öl auf Leinwand, 134,5 x 231 cm
1889 erworben

Hauptwerk aus Liebermanns naturalistischer
Periode. Studien entstanden im Sommer 1886
in Laren, das Gemälde selbst wurde in Berlin
gemalt. Es führt bar aller Sentimentalität dem
Betrachter einen geregelten kollektiven
Arbeitsprozeß vor Augen, der in einem streng
gegliederten, einfachen Raum stattfindet, wo
das Koordinatennetz der Deckenbalken und
Dielen jeder Figur einen festen Platz zuweist.

Karl Blechen
Fischer auf Capri, 1829
Öl auf Leinwand, 27,8 x 33,6 cm
1891 erworben

Blechen kam im Frühjahr 1829 auf die Insel Capri. Wegen eines Sturmes
mußte er acht Tage dort bleiben. Während dieser Zeit könnte das kleine
Ölbild mit der Fischerfamilie entstanden sein.

lands Grenzen hinausschaut – auch mit dem plastischen Impressionismus Rodins und seiner Anhänger wird deutlich.

Die auf Vorderansicht berechnete, die Funktion der Gelenke betonende Jünglingsfigur zeichnet sich durch Klassizität aus, durch Maß, Ruhe und Klarheit. Sie ist durchdrungen von einem starken Formwillen, der alles Anekdotische beiseite drängt. So wird verständlich, warum der Vorschlag des Kunsthistorikers Cornelius Gurlitt, dem Werk den vielsagenden Titel ›Allein‹ zu geben, vom Künstler abgelehnt wurde. Für Hildebrand hatte bildnerische Tätigkeit nichts mit dem Erzählen von literarischen Inhalten zu tun, sie war ihm zuerst und vor allem Auseinandersetzung mit dem Material und den Gesetzen der Kunst. Nach seiner Auffassung war der Künstler nicht »an die zufällige Konstellation der Natur« gebunden, sondern bestrebt, »an Stelle des Naturzufälligen eine für das Auge notwendige Bildkonstruktion« zu setzen. Dies schloß die Verpflichtung ein, jedes Stück eigenhändig bis zur letzten Politur auszuführen und nicht, wie allgemein üblich, Hilfskräften zu überlassen. Dies um so mehr, wenn es sich um eine Marmorskulptur handelte.

ANTON GRAFF
Henriette Herz, 1792
Öl auf Leinwand
83 x 65 cm
1889 erworben

Während seines Berliner Aufenthaltes 1792 malte Graff die damals siebzehn-
jährige Henriette Herz. Sie trägt ein schwarzgrünes Seidenkleid, ein weißes
Schultertuch und im dunklen Haar ein helles Band. Der Künstler schildert
sie uns als einen offenen, lauteren Charakter. Auf die Komposition des
Gemäldes hat er große Sorgfalt verwendet.

Johann Friedrich August Tischbein
Lautenspielerin, 1786, Öl auf Leinwand, 127 x 98 cm
1883 erworben

Wilhelm von Schadow
Selbstbildnis mit Ridolfo Schadow und Thorvaldsen, 1815/16
Öl auf Leinwand, 91 x 118 cm
1882 erworben

Das in Rom gemalte Bild – links sieht man das Kolosseum – zeigt den däni-
schen Bildhauer Thorvaldsen und seine Schüler, die Brüder Schadow (die
Söhne Gottfried Schadows), die hier auch die Malerei und die Bildhauerkunst vertreten. Zwischen beiden Kunstgattungen wird eine Vereinigung im
Geiste des nazarenischen Kunstideals angestrebt.

ANSELM FEUERBACH
Das Gastmahl, 1873
Öl auf Leinwand,
400 × 750 cm
1878 erworben

Das in Rom entstandene Gemälde bezieht sich auf Platons Dialog ›Sympo-
sium‹. Im Haus des jungen Dichters Agathon haben sich dessen Freunde,
darunter berühmte Athener wie Aristophanes und Sokrates, zu einem Fest-
mahl versammelt. In ihren Kreis tritt früh am Morgen der Feldherr Alkibia-
des, begleitet von Sklaven und Flötenspielerinnen. Agathon begrüßt ihn.
Während dieses Gelages fand ein Redewettstreit über die Liebe statt, den
Platon in seinem Dialog schildert. Eine frühere, nicht so prunkvolle Fassung
des Gemäldes aus dem Jahre 1867 befindet sich in der Karlsruher Galerie.

Hatten Jordan und seine Mitarbeiter ihre Sammeltätigkeit in den ersten Jahren auf Gemälde und Bildwerke konzentriert, dehnten sie diese seit 1878 auch auf Arbeiten auf Papier (Handzeichnung, Aquarell, Ölskizze) aus. Geleitet wurden sie dabei von der Auffassung, daß die im realen Kunstprozeß eng miteinander verflochtenen Gattungen sinnvollerweise unter einem Museumsdach zusammengeführt werden sollten. So entstand eine neue Abteilung der Nationalgalerie, die heute 40 000 Blätter besitzt, darunter die zeichnerischen Nachlässe Schinkels und Menzels – eine Sammlung von unschätzbarem Reichtum und eine der tragenden Säulen der Nationalgalerie.

Von Beginn seiner Tätigkeit an lag Max Jordan sehr daran, das Werk bereits verstorbener Künstler des 19. Jahrhunderts möglichst umfassend dem Publikum vorzustellen, darunter solcher Maler wie *Karl Blechen, Anselm Feuerbach, Franz Krüger, Alfred Rethel, Ludwig Richter*. Die Ehre einer Sonderausstellung in der Nationalgalerie schon zu Lebzeiten wurde nur *Adolph Menzel* zuteil.

Giovanni Segantini
Rückkehr zur Heimat, 1895
Öl auf Leinwand, 161,5 x 299 cm
1901 erworben

Seit 1894 lebte Segantini in Maloja (Engadin), wo dieses Gemälde mit dem
Totengeleit entstand. Die leuchtende Kette der Hochalpen erhebt sich wie
eine Verheißung über dem dunklen Vordergrund, alles in der für den reifen
Segantini typischen ›divisionistischen‹ Technik.

DER STREIT
UM DIE MODERNE

Mit Hugo von Tschudi begann eine neue Ära in der Geschichte
der Nationalgalerie. Sie öffnete sich der europäischen Kunst und
erhielt den Rang einer europäischen Sammlung. Tschudi war
Schweizer und hatte, bevor er am 3. Februar 1896 seine Berufung
an die Nationalgalerie erhielt, zwölf Jahre als Assistent Wilhelm
von Bodes an der Berliner Gemäldegalerie die frühen Niederländer und die Italiener betreut, war also für die neue Aufgabe keineswegs prädestiniert. Es sollte sich aber bald zeigen, daß dies
eher ein Vorteil war. Sein an den alten Meistern geschultes siche-
res Kunsturteil und seine Unvoreingenommenheit gegenüber der
zeitgenössischen Kunst versetzten ihn in die Lage, künstlerische
Qualität und möglicherweise Bleibendes von Unwichtigem und
Temporärem zu scheiden und den Blick über die nationalen
Grenzen hinauszulenken. So wurde Tschudi einer der ersten
deutschen Kunsthistoriker und Museumsdirektoren, die sich für
den französischen Impressionismus begeisterten. Den ersten
Kontakt mit ihm hatte er wohl durch die Sammlung von Carl und
Felicie Bernstein, in der man seit 1882 Gemälde von Manet,
Monet, Pissarro, Sisley und anderer Impressionisten kennenler-
nen konnte. 1896 fuhr er mit dem befreundeten Max Liebermann
nach Paris. Tschudi reiste gern und viel, darin seinem früheren
Chef Wilhelm von Bode gleichend, der die spektakulärsten
Erfolge seiner Erwerbstätigkeit nicht zuletzt seiner Weltgewandt-
heit und Reisefreudigkeit verdankte. Auch in Tschudis Weltläu-
figkeit und Urbanität zeigte sich der Europäer, der gar nicht
anders konnte, als sich überall dort umzusehen, wo ein lebendi-
ges Kunstleben herrschte.

In Paris scheint nun das entscheidende Erlebnis stattgefunden
zu haben. »In der Galerie Durand-Ruel erblickte er«, wie Liebermann berichtet, »zum erstenmal Manets Werke in ihrer ganzen
Originalität. Manets Genius offenbarte ihm eine neue Welt, und

wie eine plötzliche Erleuchtung kam ihm der Gedanke, daß die Erkenntnis der modernen französischen Kunst absolut nötig sei, um die Entwicklung der zeitgenössischen Kunst zu verstehen.« Mit welcher Vehemenz Tschudi schon in den ersten Monaten tätig wurde und wie erfolgreich er dabei gewesen war, zeigte Ende 1896 eine Sonderausstellung von 50 Werken deutscher und ausländischer Künstler. Darunter befanden sich Manets Meisterwerk ›Im Wintergarten‹ (Neue Nationalgalerie, Berlin-West), Landschaften von Monet und Constable, Degas' großes Pastell ›Die Unterhaltung‹ von 1884–1886 sowie Plastiken von Rodin und Meunier.

Im darauffolgenden Jahr kamen Arbeiten von Pissarro, Sisley und der erste Cézanne dazu: *Die Mühle an der Couleuvre bei Pontoise*. Dieses Gemälde, eines der Hauptwerke der Nationalgalerie, entstand *um 1881*, als Cézanne mit Pissarro in Pontoise zusammenarbeitete. Es unterscheidet sich schon deutlich von der impressionistischen Gestaltungsweise, an die nur das schlichte Motiv, die hellen Farben und die Stricheltechnik erinnern. Das Neue zeigt sich hier an der keineswegs zufälligen, ausschnittartig dargebotenen, sondern zu einer dauerhaften, eigenwertigen Farbfläche verdichteten Landschaft. Ein Werk von strenger Architektur, das den Blick nicht in sich hineinzieht, weil das Bild keine Wirklichkeit wiedergeben will. Ebensowenig wie Cézannes Früchte zum Essen und seine Blumen zum Riechen da sind, soll hier das menschliche Auge wie in einer wirklichen Landschaft herumwandern.

Tschudi verlor daneben, obwohl dies von seinen Kritikern immer wieder behauptet wurde, nie die deutsche Kunst aus dem Blick. Ganz im Gegenteil, er hat sich stets um ein ausgewogenes Verhältnis bemüht. 1897 erwarb er Arbeiten von *Arnold Böcklin, Adolf von Hildebrand, Franz Krüger, Wilhelm Leibl, Franz Lenbach, Wilhelm Trübner, Ferdinand Waldmüller*. Und so ging es fort. Auch ältere Künstler wie *Daubigny, Delacroix, Millet* und von den Deutschen *Blechen, Rayski, Schwind* und *Spitzweg* kamen hinzu. 1899 folgte das erste Gemälde von Hans von Marées, das aber nicht ausgestellt werden durfte: ›Der Drachentöter‹ (Neue Nationalgalerie, Berlin-West), und im Jahre 1901 zwei erstrangige Marmorarbeiten: *Der Mensch und sein Gedanke* von Auguste Rodin und Max Klingers *Amphitrite*. Klingers Skulptur hat eine interessante Entstehungsgeschichte. Auf einer

PAUL CÉZANNE
Mühle an der Couleuvre bei Pontoise, um 1881
Öl auf Leinwand, 73×91 cm
1897 erworben

Reise in die Ägäis im Frühjahr *1894* fand der Künstler im Hafen der griechischen Insel Syra eine fleischfarbene marmorne Treppenstufe, die ihn zur Bildung des weiblichen Torsos der Göttin des Meeres anregte. Die aufreizende Blöße und rätselhafte Physiognomie dieses Torsos legen den Gedanken an eine ›Femme fatale‹ nahe, eines in Kunst und Literatur der zweiten Hälfte des 19. Jahrhunderts beliebten Themas. Hüften und Beine der Statue, die ein kunstvoll gefaltetes Gewand umhüllen, sind aus seegrünem Tiroler Marmor gebildet. Für die Augen verwendete Klinger Bernstein, Haar und Augenbrauen sind dunkel getönt.

Obwohl der jährliche Ankaufsetat für die Nationalgalerie mit 120000 Mark nicht gerade knapp bemessen war, verhalf er nicht zu dem Handlungsspielraum, den sich Tschudi wünschte. Außerdem machte ihm die Landeskunstkommission, die weiterhin die Ankäufe für die Nationalgalerie kontrollierte, das Leben schwer.

Auguste Rodin
Der Mensch und sein Gedanke, 1899
Marmor, H. 76 cm
1901 erworben

Ihr gehörten durchweg konservative Künstler an, die den Impressionismus in Bausch und Bogen ablehnten. Unter ihnen Anton
von Werner, der in seinen Lebenserinnerungen schreibt: »In den
Beratungen der Landeskunstkommission habe ich genügend
erfahren, wie hilflos H. v. Tschudi gegenüber den künstlerischen
Eigenschaften eines Kunstwerks und ihrer Abschätzung stets war,
und wie er lediglich einer ausgegebenen Parole zu folgen schien,
von der klassizistischen vermutlich ebenso überzeugt wie der
naturalistischen, impressionistischen oder futuristischen, wenn
sie gerade Mode gewesen wäre. Bei den empfehlenden Äußerun-
gen, mit denen er seine Vorschläge von Ankäufen für die National-Galerie begleitete, kam das stets in einer Weise zum Ausdruck, dass die der Kommission angehörigen Maler und Bild-

Max Klinger
Amphitrite, 1898
Marmor, H. 178 cm
1901 erworben

hauer den Herrn Galeriedirektor gelegentlich darauf aufmerksam machten, dass sie selbst wüssten, wie es hinter dem Ofen aussehe und seiner Belehrung nicht bedürften.«

Angesichts dieser selbstgefälligen Ignoranz mußte Tschudi nach neuen Wegen suchen, um sein Ziel erreichen zu können. Er behelligte die Landeskunstkommission gar nicht erst mit problematischen Vorschlägen, sondern versuchte vielmehr, Künstler und Sammler zu Schenkungen zu bewegen. Außerdem wurde ein sogenannter Schenkungsfonds eingerichtet, in den Spender Geld zum Kauf von Kunstwerken für die Nationalgalerie einzahlen konnten. Auf diese Weise wurde die Landeskunstkommission wiederholt umgangen und die Erwerbung moderner Kunst überhaupt erst möglich gemacht.

1898 führte Tschudi eine Neugestaltung der Ausstellungssäle durch, was seit der Eröffnung der Galerie vor mehr als 20 Jahren nicht mehr geschehen war. Die jüngsten Erwerbungen sollten der

WALTER LEISTIKOW
Grunewaldsee, 1895
Öl auf Leinwand, 167 x 252 cm
1898 erworben

Öffentlichkeit bekannt gemacht werden. Die aber reagierte weitgehend ablehnend. Besonders die akademischen Künstler und die ihnen verbundenen Kritiker äußerten laut ihren Unmut, weil sie ästhetische Vorbehalte hatten, nationalistisch gesonnen und deshalb gegen alles Französische waren und nicht zuletzt, weil sie um ihr materielles Wohl fürchteten. Die Nationalgalerie war nicht irgendeine Galerie. Was dort Einlaß gefunden hatte, galt als maßstabsetzend und demzufolge auch kostbar im materiellen Sinne. Zur Ehre für den Künstler kamen hohe Erlöse im Kunsthandel.

Mit gespannter Aufmerksamkeit verfolgten auch Politiker und Behörden das Tun Tschudis, nicht zuletzt Kaiser Wilhelm II., der von Kunst durchaus etwas verstand, sich jedoch einem idealistisch-naturalistischen Ideal verschrieben hatte. Seine Lieblingskünstler waren Anton von Werner und Adolph von Menzel. Anfang 1899 besuchte er die Nationalgalerie, um sich selbst ein

Bild von der Lage zu machen. Bei dieser Gelegenheit wurde ihm ein Gemälde von WALTER LEISTIKOW vorgeführt, das den *Grunewaldsee* darstellte und von dem Tschudi vielleicht glaubte, daß es weniger Unmut erregen würde als Manet oder Monet. Wie Lovis Corinth zu berichten weiß, wurde aber Tschudi von Seiner Majestät »sehr ungnädig belehrt, daß in diesem Bild nicht die geringste Naturwahrheit war: Er kenne den Grunewald, und außerdem wäre er Jäger«. Leistikow hatte das Bild *1895* gemalt und wollte es 1898 auf der ›Großen Berliner Kunstausstellung‹ am Lehrter Bahnhof zeigen, fand aber vor den Augen der Jury, in der auch Anton von Werner saß, keine Gnade. Dieser Vorfall führte übrigens mit zur Gründung der Berliner Sezession im Jahre 1898. Das Gemälde wurde von dem Kunstmäzen und Bankier Richard Israel gekauft, der es schließlich Tschudi zum Geschenk machte.

Nach dem für ihn enttäuschenden Besuch in der Nationalgalerie ordnete Wilhelm II. an, daß der frühere Zustand im wesentlichen wiederherzustellen sei, die avantgardistischen Erwerbungen Tschudis sollten an einer »weniger hervorragenden Stelle« plaziert werden. Gravierender noch war eine Anweisung, die

MAX LIEBERMANN *Schusterwerkstatt*, 1881/82
Öl auf Holz, 64 x 79,5 cm, 1899 erworben

Tschudi verpflichtete, das Einverständnis des Kaisers bei allen Erwerbungen, auch bei Geschenken, einzuholen. Sie hat bis 1918 Gültigkeit gehabt und – wenngleich während des Krieges, als andere Dinge wichtiger wurden, lockerer gehandhabt – der Nationalgalerie immensen Schaden zugefügt, sie daran gehindert, die jeweils aktuelle Kunstszene bei ihrer Erwerbstätigkeit angemessen zu berücksichtigen. Von MAX LIEBERMANN wurde bezeichnenderweise erst 1899 die schon *1881/82* gemalte *Schusterwerkstatt* gekauft.

Das Gemälde entstand in dem holländischen Dorf Dongen und stellt einen bedeutenden Schritt auf dem Wege zur impressionistischen Freilichtmalerei in Deutschland dar. Der Reiz der Aufgabe lag für den Künstler in der malerischen Umsetzung hellen Sonnenlichtes, das durch die Fensterscheiben in einen Innenraum dringt und über Mensch und Inventar spielt. Der stilistische Grundton des Gemäldes ist indessen noch naturalistisch, das heißt gegenstands- und milieubetont. Für Liebermann blieb auch späterhin, und das unterscheidet ihn beispielsweise von Monet, die Farbe ein dienendes Element. In das Muster des Naturalismus paßt auch das unpretentiöse Sujet, das bar aller akademischen Idealität eine von der Kunst bis dahin kaum beachtete soziale Schicht zum Gegenstand hat.

Am 9. Februar 1905 starb Adolph von Menzel, Anlaß für die Nationalgalerie, die seit Ende der achtziger Jahre über die reichste Sammlung von Werken des Künstlers verfügte, zu einer umfassenden Gedenkausstellung. Dies um so mehr, als Menzel vom preußischen Staat und dem Kaiser persönlich in den letzten zwanzig Jahren seines Lebens mit Ehrungen geradezu überschüttet worden war. Er war in diesem Sinne ein Staatskünstler, dem nur eine Ausstellung in der Nationalgalerie genügen konnte.

Tschudi allerdings hatte ein gebrochenes Verhältnis zu Menzel. 1895 war in der Zeitschrift ›Pan‹ von ihm ein Aufsatz erschienen, in dem er den herrschenden Menzel-Kult in Frage stellte und Menzel aus der Sicht des Impressionismus beurteilte. An einer Stelle heißt es: »Ein Kolorist aber ist Menzel nicht«.

Als Ende der neunziger Jahre Menzels kleinformatige Gemälde aus seiner Frühzeit, wie das ›Balkonzimmer‹ oder der ›Bauplatz mit Weiden‹ (beide Neue Nationalgalerie, Berlin-West) aus dem Dunkel des Ateliers ans Licht kamen, änderte sich Tschudis Haltung gegenüber Menzel. Er bewertete diese er-

Franz Krüger
Parade auf dem Opernplatz
1824–1830
Öl auf Leinwand, 249 x 374 cm
1928 erworben

staunlichen Arbeiten als Geniestreiche eines jungen, von Konventionen freien Malers, eines Vorläufers des Impressionismus. Das malerische Frühwerk Menzels, das fast vollständig in den Besitz der Nationalgalerie überging, wurde auf der großen Retrospektive von 1905 zum erstenmal einem breiten Publikum gezeigt, und auf der großen Ausstellung der Nationalgalerie zur Kunst des 19. Jahrhunderts im Jahre 1906 war Menzel fast ausschließlich durch Werke der vierziger und fünfziger Jahre vertreten.

Die Idee zu dieser sogenannten Jahrhundertausstellung wurde 1897 geboren, als Tschudi und zwei weitere führende

Museumsmänner der Zeit, Alfred Lichtwark und Woldemar von Seidlitz, den Plan faßten, die deutsche Kunst des zu Ende gehenden Saeculums in einer umfassenden Schau darzubieten. Nach gründlicher Vorbereitung, vielen kleineren Ausstellungen in deutschen und schweizerischen Städten, die das umfangreiche Material sichten halfen, fand dieses ehrgeizige Unternehmen schließlich 1906 in allen drei Etagen der Nationalgalerie seine Verwirklichung.

Das 19. Jahrhundert, das viele zu kennen meinten, präsentierte sich hier weithin als eine Terra incognita. Zu den Sensationen gehörte auch ein Bild von Franz Krüger, das seit 1831 im

Petersburger Winterpalast gehangen und das Zar Nikolaus II. auf besonderen Wunsch des Kaisers ausgeliehen hatte. Es stellt wahrscheinlich ein Ereignis aus dem Jahr 1824 dar, eine *Parade auf dem Opernplatz* anläßlich des Besuches des russischen Großfürsten Nikolaus und seiner Gemahlin Alexandra (Charlotte), einer Tochter Friedrich Wilhelms III. Das im Auftrag des Großfürsten geschaffene Gemälde war *1830* vollendet. Es brachte Krüger das stattliche Honorar von 10000 Talern und einen russischen Orden ein, was darauf schließen läßt, daß der Auftraggeber mit dem Gemälde zufrieden war.

So recht glauben möchte man dies jedoch nicht, denn die Hauptakteure der Parade – Großfürst Nikolaus, der Kommandeur des paradierenden 6. Brandenburgischen Kürassierregiments, sowie Friedrich Wilhelm III. und das ihn umgebende Gefolge, im Schatten des Prinzessinnenpalais stehend, – sind nur mit Mühe auszumachen. Krüger sieht das militärische Spektakel gleichsam aus der Perspektive der Zuschauer auf der anderen Seite des Platzes, wo sie von einer Postenkette auf Distanz gehalten werden. Er ist persönlich unter ihnen, hoch zu Roß und im besten Anzug. Man erkennt noch viele andere Honoratioren Berlins: die Bildhauer Schadow und Rauch, den Architekten Schinkel, den Komponisten Meyerbeer, die Sängerin Henriette Sontag, Paganini, Alexander von Humboldt, den Theaterfriseur Warnecke und, stellvertretend für die unteren sozialen Schichten, ganz im Vordergrund einen Schusterjungen. Diese durch zahlreiche Studien gewissenhaft vorbereitete Menschengruppe, die aus dem Kastanienwäldchen hinter der Neuen Wache hervorquillt, bildet den ideellen Kern des Gemäldes. Hier ist der Künstler ganz in seinem Element, hier spricht sich das Biedermeier, das Krüger in Berlin maßgeblich mitgeprägt hat, deutlich aus. Die Form ist kleinteilig und präzise, sie beschreibt den Gegenstand genau, mit einer Neigung zur Glätte. Der Ausdruck des Bildes ist sonntäglich heiter. Alle sind adrett gekleidet, in aufgeräumter Stimmung und geben sich sehr zivil und unpathetisch. Dies ist keine höfische Gesellschaft, hier herrscht so etwas wie bürgerlicher Gemeingeist. Jeder präsentiert sich als Individuum, fühlt sich in diesem Gewimmel aber auch geborgen. Der imaginäre Standort des Betrachters ist dort, wo sich das Zeughaus befindet. Dabei fällt auf, daß die perspektivische Konstruktion des Bildes nicht einheitlich ist. Krüger lag daran, das Geschehen panoramahaft überschaubar wiederzugeben, was ihn zwang, den Standort zu wechseln. Seine ›Parade‹ hat dadurch einen Zug ins Visionäre erhalten. Der tatsächliche Vorgang wurde so zum historischen, die Zeiten überdauernden Ereignis. Nach der Jahrhundertausstellung blieb das Gemälde als Geschenk des Zaren in Berlin. Seit 1922 hängt es in der Nationalgalerie.

Im März 1908 wurde Tschudi für ein Jahr beurlaubt, danach ging er nach München, um die Leitung der Bayerischen Staatsgemäldesammlungen zu übernehmen. Finanziell nicht abgesicherte Verhandlungen mit einem Londoner Kunsthändler um eine Kollektion älterer französischer Gemälde, in die der Kaiser auf unrühmliche Weise verwickelt war, hatten ihn zur Genugtuung seiner Gegner zur Strecke gebracht.

LESSER URY
Nollendorfplatz bei Nacht, 1925
Öl auf Leinwand, 72,5 x 54,5 cm
1926 erworben

Gemalt wurde diese spätimpressionistische Darstellung der nächtlichen
Großstadt aus dem Fenster von Urys Wohnung am Nollendorfplatz 1. Von
besonderem Reiz sind die farbigen Reflexe der Lichter auf den regennassen
Straßen.

IM ZEICHEN
DES
EXPRESSIONISMUS

Auf Betreiben von Wilhelm von Bode, seit 1905 Generaldirektor
der Königlichen Museen und an der modernen Kunst nur von
fern Anteil nehmend, wurde die Nationalgalerie nach dem Fort-
gang Tschudis wieder dem Kultusministerium direkt unterstellt.
Der Kaiser hatte zeitweilig mit dem, wie man sagen muß, aben-
teuerlichen Gedanken gespielt, als Nachfolger Tschudis Anton
von Werner einzusetzen. Schließlich kam man auf Ludwig Justi,
einen Neffen Carl Justis, des berühmten, übrigens von Wilhelm II. hochgeschätzten Winckelmann- und Velázquez-Bio-
grafen.

Ludwig Justi hatte Archäologie, Geschichte, Philologie und
Kunstgeschichte in Berlin und Bonn studiert, von 1901 bis 1904
als Universitätslehrer gewirkt, 1904/05 das Städelsche Kunstinsti-
tut in Frankfurt geleitet und dann das Amt des Ersten Sekretärs
an der Berliner Kunstakademie bekleidet. Das Direktorat der
Nationalgalerie, das nach seinen eigenen Worten »gewiß schwie-
rigste und undankbarste Amt im ganzen Bereich der preussi-
schen Kulturverwaltung«, übernahm er nur nach »langem
Zögern«.

Justi sah sich mitten in eine Arena gestellt, in der sich zwei Par-
teien heftig befehdeten, jede davon überzeugt, das rechte Kunst-
verständnis zu besitzen, das sie auch in der Nationalgalerie ver-
wirklicht sehen wollte. Der neue Direktor zeigte in bezug auf
Neuerwerbungen zunächst Zurückhaltung und versuchte statt
dessen, einige Verwaltungsfragen von grundlegender Bedeutung
zu klären. Bodes Wunsch, sich der schweren Bürde der Nationalgalerie zu entledigen, kam seinen Intentionen entgegen, er
machte dessen Erfüllung sogar zu einer Bedingung für seinen
Amtsantritt. Seine Sammlungskonzeption entwickelte Justi in
einer Denkschrift mit dem Titel ›Die Zukunft der Nationalgalerie‹.

Es galt vor allem, die Ausstellungssäle von Ballast zu befreien und so Platz für Neues zu schaffen. Dies hieß Reduzierung der Sammlung Wagener, Aussonderung der Porträts und großformatigen Schlachtenbilder sowie Umbau des Erdgeschosses, um zusätzliche Hängefläche zu gewinnen und, wenn möglich, die Errichtung eines eigenen Gebäudes für die Kunst des 20. Jahrhunderts. Der Kaiser billigte diese Vorschläge weitestgehend und erklärte sich auch mit der ein Jahr später in einer zweiten Denkschrift vorgebrachten Auflösung der Landeskunstkommission, »jenem unheilvollen Vertreterausschuß der Künstlerschaft«, zugunsten eines Sachverständigenbeirates einverstanden. In Kraft blieb allerdings weiterhin sein Vetorecht bei allen Erwerbungen für die Nationalgalerie.

Der Umbau des Erdgeschosses konnte bald darauf beginnen, zog sich jedoch wegen der Kompliziertheit der Probleme bis 1913 hin. Nach der Wiedereröffnung waren hier in den neugeschaffe-

PAUL CÉZANNE
Stilleben mit Blumen und Früchten, um 1890
Öl auf Leinwand, 65,5 x 82 cm
1906 erworben

FRANCISCO JOSÉ DE GOYA
Der Maibaum, um 1816
Öl auf Leinwand, 82,7 x 105,5 cm
1903 erworben

Dargestellt ist ein Volksfest unter einem gewittrigen Himmel. Die Bedroh-
lichkeit der Stimmung rührt auch von dem zwingburgartigen Gebäude im
Hintergrund her, zu dem eine Brücke mit einem weithin sichtbaren Kreuz
führt.

nen Sälen auf der Westseite die Deutsch-Römer mit der herr-
lichen Reihe der Böcklin-Gemälde zu sehen. Einige davon hatte
Justi erst kurz zuvor erworben, unter anderem von dem Kunsthändler Fritz Gurlitt, Böcklins langjährigem Freund und Förderer, die *Hochzeitsreise*, auch *Toskanische Landschaft* genannt.

Das Gemälde entstand in Florenz, wo BÖCKLIN seit 1874 lebte,
und war für eine Frankfurter Freundin bestimmt. Die Wahl des
Themas hängt wahrscheinlich mit der Hochzeit der Tochter Clara
im Juli 1876 zusammen. So finden wir denn hier ein junges Paar
vor: er, vom Buschwerk fast verdeckt, mit blumenbekränztem Hut,
die Flöte spielend; sie, wie eine Statue auf hohem steinernem
Sockel, im langen Kleid, den Stamm eines Baumes liebevoll beta-
stend. Beide muß man als Naturwesen verstehen und sicher auch

Arnold Böcklin
Hochzeitsreise, 1878
Öl auf Leinwand, 80 x 58,5 cm
1910 erworben

als Personifikationen menschlicher Gefühle an einem strahlen-
den Frühlingstag. Wie häufig in den siebziger und achtziger Jahren, konfrontiert Böcklin die organische Natur mit geballtem
Fels, der dem Gemälde eine herbe, maskuline Note verleiht. Der
schmale Spalt in der steinernen Barriere läßt die Lieblichkeit der
weitgedehnten Landschaft nur ahnen.

48

WILHELM LEIBL
Dachauerin, 1879
Öl auf Holz, 20 x 16 cm
1906 erworben

Das Gemälde entstand im
bayrischen Berbling während
der Arbeit an den ›Frauen in
der Kirche‹ (Hamburger Kunsthalle). Der Kopf der jungen Frau ist aus kurzer
Distanz gesehen, wobei die großflächige Wange im Mittelpunkt der Komposition steht. Jedes Detail ist genau beobachtet.

ADOLPH VON MENZEL   *Blick auf den Park des Prinzen Albrecht*, 1846
Öl, Papier auf Leinwand, 24,7 x 40 cm
1907 erworben

Menzel hat den Blick aus dem Atelierfenster über den Palaisgarten des Prinzen Albrecht (ehemals in der Wilhelmstraße, abgerissen) zweimal kurz hintereinander gemalt. Diese kleine Studie erfaßt nur die Baumkronen und die Dachzone des Gebäudes. Ihr eigentlicher Gegenstand ist der Himmel – ein Motiv, das seit der Romantik vor allem in der deutschen und englischen Malerei häufig vorkommt.

49

Auch die Farbigkeit und die Hell-Dunkel-Werte des Gemäldes leben von Kontrasten. Auf das intensive Rot des Gewandes der Frau antwortet das Grün der Sträucher und Bäume, und der schattige Bezirk des Vordergrundes steht scharfrandig vor der sonnigen Helligkeit der toskanischen Ebene.

Auf der Ostseite des ersten Ausstellungsgeschosses befunden sich unter anderem Arbeiten von *Wilhelm Leibl, Wilhelm Trübner, Hans Thoma, Fritz von Uhde* und in den Kabinetten der Apsis der größte Teil der Menzel-Sammlung, die nach dem Tode des Künstlers vervollständigt worden war. Justi konnte noch weitere wichtige Werke hinzufügen, so 1928 ›Hochkirch‹ aus dem Jahre 1856, das bedeutendste der Friedrich-Bilder und einer der schmerzlichsten Verluste der Nationalgalerie im Zweiten Weltkrieg.

Das Mittelgeschoß blieb durch die Cornelius-Säle mit den großformatigen Kartons weiterhin blockiert. Der Anfang einer Modernisierung von Haus und Sammlung war jedoch gemacht. Neue Perspektiven ergaben sich nach der Abdankung des Kaisers. Schon in den letzten Jahren hatte sich die Kontrolle gelokkert. Der Kultusminister überwachte nunmehr die Neuerwerbungen, 1917 wurde die Einrichtung eines Saales mit Gemälden von Max Liebermann genehmigt und bald darauf auch einer der Cornelius-Säle zugunsten der modernen Kunst geräumt.

An einen Neubau durfte man angesichts der schlechten wirtschaftlichen Lage nach dem Ende des Ersten Weltkrieges nicht denken. Da Deutschland Republik geworden war, standen jetzt aber königliche Schlösser zur Verfügung, und eines davon, das Kronprinzenpalais Unter den Linden, erhielt die Nationalgalerie zur Nutzung. Im August 1919 wurde die erste Dependance der Nationalgalerie eröffnet. Herübergekommen aus dem Stammhaus waren 100 Gemälde und 50 Bildwerke, die gesamte moderne Kunst: die deutschen Sezessionskünstler Corinth, Liebermann, Slevogt und die modernen Franzosen Manet, Monet, Renoir, Signac, van Gogh, Gauguin, Denis. Im dritten Stock waren die deutschen Expressionisten Heckel, Kirchner, Pechstein, Marc, Feininger, Barlach und Lehmbruck untergebracht. Die Werke dieser jungen Künstler, erst vor wenigen Jahren entstanden, repräsentierten nicht nur die aktuelle deutsche Kunstentwicklung, sondern auch die neugewonnene Freiheit der Nationalgalerie und ihres Direktors. Jede Art von behördlicher

Einmischung in die Sammeltätigkeit hatte aufgehört. Während bis dahin die Neuerwerbungen im Durchschnitt 20–30 Jahre nach der Entstehung der Werke erfolgten, wurde jetzt sozusagen ›hart am Wind gesegelt‹. Über die Ankäufe hinaus kamen immer wieder Arbeiten allerjüngsten Datums als Leihgaben in die

GEORG KOLBE   *Tänzerin*, 1911/12
Bronze, H. 154 cm, 1912 erworben

Hauptwerk des Künstlers, der wie viele deutsche Bildhauer seiner Zeit unter dem Einfluß von Rodin stand. Selbstvergessen um ihre Körperachse schwingende Aktfigur, deren virtuos behandelte Oberfläche durch das Wechselspiel von Licht und Schatten impressionistisch belebt wird.

Sammlung. Nicht zu vergessen die zahlreichen Sonderausstellungen für Künstler wie van Gogh, Rohlfs, Kirchner, Pechstein, Heckel, Klee. Auch sie trugen wesentlich dazu bei, daß das Kronprinzenpalais zu einem überaus lebendigen Museum moderner Kunst und bald führend in ganz Deutschland wurde.

Einen ersten Höhepunkt erreichte Justis Ankaufstätigkeit im Jahre 1919. Damals kamen vier Arbeiten von WILHELM LEHMBRUCK in die Sammlung, darunter der *Große weibliche Torso*, der *1910* während des Paris-Aufenthaltes entstanden war, wohl unmittelbar nach der *Stehenden weiblichen Figur*, die er in reduzierter Form, das heißt ohne die Gliedmaßen, wiederholte. Lehmbruck hat dieses Verfahren mehrfach angewendet, das Detail war ihm »das kleine Maß für das große«. Der Torso wie die ganze Figur sind ein Bekenntnis zu Aristide Maillol, doch wirken sie verinnerlichter. Kaum spürbare, aus der Tiefe quellende seelische Energien scheinen den ganzen Körper, der gleichsam über

HANS PURRMANN
Stilleben, 1908
Öl auf Leinwand, 80 x 99,5 cm
1918 erworben

Das Gemälde entstand im Atelier von Henri Matisse in Paris, dessen bedeutendster deutscher Schüler Purrmann war.

Max Slevogt
Der Sänger Francisco d'Andrade als Don Giovanni, 1912
Öl auf Leinwand, 210 x 170 cm
1913 erworben

Slevogt malte das Bild, auch ›Der rote d'Andrade‹ genannt, anläßlich des
dreißigjährigen Bühnenjubiläums des befreundeten Sängers. Vorausgegan-
gen waren 1902 ›Der weiße d'Andrade‹ (Staatsgalerie Stuttgart) und 1903
›Der schwarze d'Andrade‹. Dargestellt ist die Friedhofsszene aus dem letzten
Akt von Mozarts Oper. Im Vergleich zu dem mitreißenden Stuttgarter ›Cham-
pagnerlied‹ schuf Slevogt hier eher ein Repräsentationsstück.

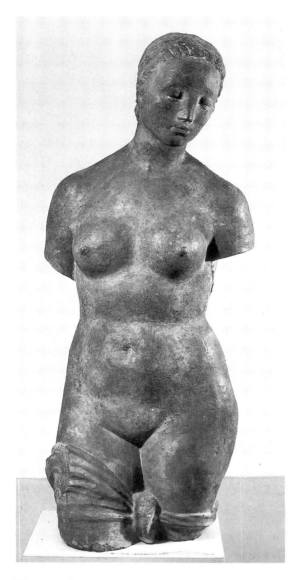

Wilhelm Lehmbruck
Großer weiblicher Torso, 1910
Kunststeinguß, H. 120 cm
1919 erworben

seine materielle Substanz hinausweist, zu durchschwingen. Der in der berühmten *Knienden* von *1911* – auch von diesem Werk besitzt die Nationalgalerie die Torsoversion – vehement zum Vorschein tretende, für den späten Lehmbruck charakteristische Spiritualismus kündigt sich hier bereits leise an. Diese Frauenfigur mit dem fallenden Gewand ist aber noch als ein rundplastisches, kompaktes Gebilde aufgefaßt. Man muß sie umschreiten, um sie zu verstehen, anders als die auf eine Hauptansicht festgelegten, im Körpervolumen geschrumpften, expressiven späteren Arbeiten. Sie atmet klassische Harmonie und Geschlossenheit, und bei aufmerksamer Betrachtung läßt sich auch am Torso ablesen, daß die ganze Figur kontrapostisch aufgebaut ist.

ERNST BARLACH   *Die Verlassenen*, 1912/13
Holz, H. 132 cm, Br. 133 cm
1919 erworben

Eines der wenigen Reliefs des Künstlers. Dargestellt sind drei Frauen in der für Barlach typischen knappen, blockhaften Sprache. Jede steht für sich, eingehüllt in ihre Einsamkeit, sie still erduldend. Die in Nußbaum ausgeführte Arbeit entstand in Güstrow, wo Barlach seit 1910 lebte.

ERICH HECKEL   *Frühling*, 1918
Öl auf Leinwand, 91 x 92,5 cm, 1919 erworben

Eines der ersten expressionistischen Bilder, die für das Kronprinzenpalais
erworben wurden. Heckel malte es im letzten Kriegsjahr für die
Sanitätswache des Bahnhofes Ostende in Flandern. Die aus den Wolken
hervorbrechende Sonne kann als eine Metapher der Wiedergeburt und des
Lebens verstanden werden.

Ein Jahr nach Lehmbrucks Frauentorso wurde ein Hauptwerk
expressionistischer Malerei erworben, die *Rheinbrücke* von
ERNST LUDWIG KIRCHNER, einem Gründungsmitglied der Künst-
lergemeinschaft ›Brücke‹. Zwischen 1913 und 1915 malte Kirchner eine ganze Folge von Stadtlandschaften. Eine der schönsten
verdankt ihre Entstehung einem Aufenthalt in Köln im Jahre
1914. Es ist eine Ansicht der Hohenzollernbrücke, die Köln mit
Deutz verbindet und direkt auf den Dom zuführt. Von dessen
mächtiger Architektur sind aber nur der Vierungsturm und die
Spitzen der beiden als pflanzenhafte Gebilde aufgefaßten West-
türme zu sehen, im Kontrast stehen dazu die geometrischen Formen der Brückenbögen, drei an der Zahl. Sie schießen aus der
Tiefe des Raumes in mächtigem Schwung nach vorn, gleich
einem geteilten Wasserstrahl. Dabei bilden sie mit den Stützen
zahlreiche stumpfe und spitze Winkel. Kirchner faszinierte die

moderne Großstadt – die Hektik, das Getriebensein, die Unnatur,
nicht zuletzt der Verkehr. Eine Lokomotive, die wohl an der Spitze
eines Zuges zu denken ist, fährt, aus der Richtung des Kölner
Hauptbahnhofes kommend, dröhnend über die Stahlkonstruk-
tion der Brücke. Die vereinzelten, aus dem Gedränge der Innen-
stadt entlassenen Fußgänger nebenan bewegen sich in die glei-
che Richtung, zu Schemen vereinfacht. Sie nehmen sich unbe-

ERNST LUDWIG KIRCHNER   *Rheinbrücke*, 1914
Öl auf Leinwand, 120,5 × 91 cm
1920 erworben

LYONEL FEININGER
Teltow II. 1918
Öl auf Leinwand. 101 x 126 cm
1921 erworben

deutend vor dem gewaltigen Gerüst aus. Wie auch in anderen
Straßenbildern Kirchners sind Überschneidungen vermieden,
wodurch der Eindruck von Entfremdung und Isolation entsteht.
Meist sind jedoch die menschlichen Figuren größer dargestellt
als in diesem Bild, in dem das architektonische Element domi-
niert. Typisch für Kirchners Stil jener Jahre sind die winkligen
und gebogenen Formen und der das Gegenständliche auflö-
sende, gestrichelte Pinselduktus. Im Vergleich zu den Anfängen
der ›Brücke‹-Kunst hat die Farbe an Intensität und Kompaktheit
verloren, statt dessen variiert Kirchner meisterhaft blaue und vio-
lette Töne und setzt ein leuchtendes Rosa in Gestalt einer Dame
mit Sonnenschirm in den Vordergrund.

1921 kam LYONEL FEININGERS *Teltow II* von *1918* in die Sammlung, eines der wenigen 1937 beschlagnahmten und auf der Münchener Ausstellung ›Entartete Kunst‹ gezeigten Gemälde, die der Nationalgalerie erhalten geblieben sind. Es gehört zu den zahlreichen Architekturbildern, die der Künstler, inspiriert von Cézanne, den Kubisten und Futuristen, seit etwa 1912 gemalt hat und denen er seine Weltgeltung verdankt. Teltow ist ein märkisches Städtchen südlich Berlins mit einer in den Jahren 1811/12 von Karl Friedrich Schinkel neugotisch restaurierten Pfarrkirche. Feininger wohnte zeitweilig ganz in der Nähe, auf der anderen Seite des Teltow-Kanals in Zehlendorf. Die architektonische Gesamterscheinung machte diesen Ort für ihn so anzie-

Rudolf Belling   *Dreiklang*, 1924
Holz, 91 x 77 x 77 cm, 1924 erworben

Die Holzfassung entstand im Jahr von Bellings Einzelausstellung im Kronprinzenpalais nach dem Gipsmodell von 1919. Ursprünglich Entwurf für ein
6 Meter hohes Raumgebilde, das – in Ziegel ausgeführt und farbig verputzt –
ein Orchester zur Aufführung der Musik von Hindemith, Schönberg und
Strawinsky aufnehmen sollte. Die stark abstrahierten Tänzerinnen, die
Architektur, Plastik und Malerei symbolisieren, greifen von einer gemein-
samen Basis aus in den Raum und beziehen ihn in den Prozeß der Form-
bildung ein.

ERNST LUDWIG KIRCHNER
Stehende, 1912
Holz, H. 99 cm
1931 erworben

Kirchner schnitt die Skulptur spontan aus dem Holzblock und ließ die Spuren der Bearbeitung bewußt ungetilgt. Von seinen Bildhauerarbeiten sagt er, daß sich ihre stilisierten Formen »nicht auf die Antike zurückführen lassen«. Sein Vorbild waren afrikanische, ozeanische und indische Skulpturen, die er und die ›Brücke‹-Künstler im Dresdener Völkerkundemuseum zum erstenmal gesehen hatten. Die Arbeit entstand 1912 in Berlin, Modell saß Erna Schilling, Kirchners spätere Frau.

hend, die einfachen, klaren Formen der Häuser und das sie über-
ragende Kirchengebäude mit seinem zweigeschossigen Turmauf-
satz, den ein Spitzhelm bekrönt. So entstand nach einer ersten
Fassung im Jahre 1912 ein zweites Gemälde, das die geometrischen und kubischen Grundformen auf vielfältige Weise abwan-
delt und sie einander durchdringen läßt. Vermöge seiner in dün-
nen Schichten aufgetragenen, zwischen blauen und grünen
Tönen spielenden kühlen Farben verwandelt sich die Welt in eine,
wie durch ein Prisma gesehene, lichte Version. Sogar wenn man
nicht wüßte, daß Feininger ein großer Verehrer Johann Sebastian
Bachs war und selbst Fugen komponiert hat, würde einem beim
Betrachten dieses Gemäldes die polyphone Musik des 17. und
18. Jahrhunderts in den Sinn kommen. Die Struktur von *Teltow II*
ist von augenfälliger Stabilität und Unverrückbarkeit, sie wirkt
geradezu monumental, wie für die Ewigkeit gemacht. Und dies
zu einer Zeit, da Krieg und Revolution Europa erschütterten. *Teltow II* hing auch in der Sonderausstellung der Nationalgalerie
anläßlich des 60. Geburtstages des Malers 1931 im Kronprinzenpalais. 1936 verließ Feininger Deutschland für immer.

Sehr erfolgreich war auch das Jahr 1928, als wichtige Gemälde
von Max Beckmann (›Selbstbildnis‹, 1927; heute Busch-Reisin-
ger-Museum, Cambridge), Otto Dix (›Theodor Däubler‹, 1927;
heute Museum Ludwig, Köln), Franz Marc (›Drei Rehe‹, 1911;
heute Bayerische Staatsgemäldesammlungen, München), Ernst
Ludwig Kirchner (›Künstlergruppe‹: 1925; heute Museum Ludwig, Köln) sowie von *Paula Modersohn-Becker, Heckel, Pechstein,
Böcklin* und das schon erwähnte ›Hochkirch‹ von Menzel erworben wurden.

1929 konstituierte sich der ›Verein der Freunde der Nationalgalerie‹, der bald die Erwerbungstätigkeit positiv zu beeinflussen
begann. Während von Justi bis dahin die deutsche Kunst etwas
einseitig bevorzugt worden war, gelangten nun verstärkt auch
Künstler aus anderen europäischen Ländern in die Sammlung,
unter anderen Vincent van Gogh mit vier Gemälden, Charles
Daubigny und *Raoul Dufys ›Hafen‹ (1908)*, eines der wenigen
französischen Gemälde, die sich heute im Stammhaus der Nationalgalerie befinden.

1932, dem letzten Jahr Justis im Amt des Direktors und einer
glücklichen Periode in der Geschichte des Hauses, gelangen
noch einmal bemerkenswerte Erwerbungen, mehrere Gemälde

von italienischen Künstlern wie *Carlo Carrà (Häuser unter Hügeln, 1924), Felice Casorati (Mutter, 1923/24),* von *Gino Severini, Mario Sironi* und zwei Frühwerke von Giorgio de Chirico aus dem Jahre *1910 (Serenade* und *Bruder des Künstlers),* sowie Franz Radziwills *Hafen mit zwei großen Dampfern* und *Max Slevogts Zauberflötenfries.*

Franz Radziwill
Hafen mit zwei großen Dampfern, 1930
Öl auf Leinwand, 76 x 99,5 cm
1932 erworben

Radziwill gilt als ein Hauptvertreter des ›Magischen Realismus‹, einer Richtung innerhalb der Neuen Sachlichkeit. In seinen Gemälden sind Schiffe ein immer wiederkehrendes Motiv, hier dargestellt als unheimliche Ozeanriesen, welche die kleinen Boote zwischen ihren nietenstarrenden Leibern zu zerquetschen drohen.

GIORGIO DE CHIRICO   *Serenade,* 1910
Öl auf Leinwand, 82 x 120 cm, 1952 erworben

Von Arnold Böcklin beeinflußtes Frühwerk, das nach dem Münchener
Studienaufenthalt (1906–1909) entstand.

NATIONALSOZIALISMUS
UND KRIEG

Am 1. Juli 1933 wurde Justi ohne Angabe von Gründen ›beurlaubt‹. Zu Beginn des Jahres war noch das Kronprinzenpalais neu geordnet worden. Die Impressionisten gingen zurück in das Stammhaus, um Platz für die jüngsten Erwerbungen zu schaffen. Die nationalsozialistische Presse, der das Kronprinzenpalais seit längerem ein Dorn im Auge war, reagierte mit wachsender Aggressivität: »Was uns in diesem Kronprinzen-Palais als junge deutsche Kunst vorgeführt wird, sind Juden, nichts als Juden, deutsche Juden und ausländische Juden... Man rufe das deutsche Volk zu einem energischen Protest gegen eine solche Irreführung auf und verlange endlich die Bereinigung unserer Kulturstätten!« Dies waren nun völlig neue Töne, nicht zu vergleichen mit den Angriffen früherer Jahre, als Max Liebermann, seit 1920 Präsident der Akademie der Künste, beim Kultusminister gegen Justis Ankäufe protestierte, oder als Karl Scheffler, der Herausgeber der Zeitschrift ›Kunst und Künstler‹, Justi Unfähigkeit vorwarf und seine Absetzung verlangte. Sie blieben ohne Folgen, während nun die nationalsozialistisch motivierten Anfeindungen gegen Justi und das Kronprinzenpalais bei den neuen Machthabern Gehör fanden. Moderate Kreise im preußischen Kultusministerium sahen in Justis Entfernung aus dem Amt ein taktisches Manöver. Ein weniger belasteter neuer Mann sollte durch Konzessionen das Kronprinzenpalais retten. So kam man auf Alois Schardt, einen früheren Assistenten Justis, der vorher das Städtische Museum in Halle-Moritzburg geleitet und sich große Verdienste um die moderne Kunst erworben hatte.

Schardt vertrat eine Theorie, derzufolge es in der Kunstgeschichte drei Grundrichtungen gebe, eine romantische, eine klassizistische und eine naturalistische, die »nach-, mit- und gegeneinander entstanden waren«. Zur romantischen Richtung rechnete er auch die ›neue Ausdruckskunst‹ des Expressionismus, einer angeblich in ihrem Wesen genuin deutschen Kunst, deren Anfänge bis zu den Germanen zurückreichten. Auf der Grundlage dieser kunstgeschichtlichen Typenlehre unternahm Schardt eine Neuordnung der Nationalgalerie, deren bisherige »Anordnung für denjenigen Menschen, der nach charakterlicher und weltanschaulicher Klarheit verlangt, eine verwirrende Unübersichtlichkeit« geboten hätte. So verblieben die sogenannte klassische und die naturalistische Richtung im Stammhaus, während die ›Romantiker‹ in das Kronprinzenpalais zogen, ins Erdgeschoß *Caspar David Friedrich, Philipp Otto Runge, Karl Blechen*, ins Mittelgeschoß die Deutsch-Römer *Hans von Marées* und *Anselm Feuerbach* sowie *Hans Thoma* und ins Obergeschoß die Expressionisten, darunter viele Leihgaben aus anderen deutschen Museen. Diese »Apotheose des Expressionismus« (P. O. Rave) sollte nicht nur für die moderne Kunst werben, sondern auch den Nachweis ihrer Verwurzelung in der deutschen Tradition und im Zeitgeist der ›nationalen Revolution‹ erbringen. Moderne Kunst und Nationalsozialismus waren jedoch nicht miteinander zu versöhnen. Schardts Konzeption wurde vom preußischen Kultusminister Rust, dem späteren Reichsminister für Wissenschaft, Erziehung und Volksbildung, der das Kronprinzenpalais im Oktober besuchte, nicht gebilligt. Schardt mußte gehen, geriet später sogar in SS-Haft und floh schließlich nach Amerika.

Sein Nachfolger wurde Eberhard Hanfstaengl, bisher Direktor der Galerie im Lenbachhaus in München und ein guter Kenner der deutschen Kunst des 19. Jahrhunderts. Er war in bezug auf die Auseinandersetzungen um die aktuelle Kunst ein noch unbeschriebenes Blatt und daher ein annehmbarer Kandidat, zu einem gewissen Teil wohl auch deshalb, weil die Familie Hanfstaengl gute Beziehungen zu Hitler hatte. Hanfstaengl bemühte sich um eine schnelle Wiedereröffnung des Kronprinzenpalais, die am 16. Dezember erfolgte. Von Schardts Einrichtung blieb kaum etwas übrig. Bis auf einige Romantiker gingen die Gemälde des 19. Jahrhunderts wieder auf die Museumsinsel zurück. Die Expressionisten wurden stark reduziert. Es verschwand fast alles, was Anstoß erregen konnte, bis auf wenige Ausnahmen sämtliche Figurenbilder, darunter *Heckels Selbstbildnis (1919)*, KIRCHNERS *Rheinbrücke (1914)* und *Atelierecke (1922)*, so daß nur noch Landschaften und Stilleben ausgestellt waren. An Ort und Stelle blieb allerdings Franz Marcs legendärer

FRITZ VON UHDE   *Heideprinzeßchen*, 1889
Öl auf Leinwand, 140 x 111 cm
1934 erworben

Unkonventionelles Kinderbild, dem von der zeitgenössischen Kritik Mangel
an Anmut vorgeworfen wurde. Das Gemälde entstand in München,
Anregungen für den landschaftlichen Hintergrund erhielt der Künstler
vermutlich in der Umgebung von Dachau.

Oskar Kokoschka   *Herr Hirsch*, 1908/09
Öl auf Leinwand, 90 x 72 cm
1935 erworben

Reinhold Begas
Pan und Psyche, 1857/58
Marmor, H. 132 cm
1934 erworben

Das Modell entstand 1857 in Rom, wo Begas von der Motivwelt des befreundeten Arnold Böcklin beeinflußt wurde und zu seinem eigenen, neobarocken Stil fand. 1858 war die Plastik auf der alljährlichen Ausstellung der Berliner Kunstakademie ausgestellt und erregte allgemeines Aufsehen. Die um den Verlust ihres Geliebten Eros trauernde Psyche wird von Pan, dem bocksbeinigen Hirtengott, getröstet.

Turm der blauen Pferde, von Justi im Erfolgsjahr 1919 angekauft, Mittelpunkt der Sammlung und Symbol der progressiven Kunst und Geistigkeit in Deutschland.

Hanfstaengls Hauptinteresse richtete sich auf das Stammhaus. Die ehemaligen Cornelius-Säle nahmen nun die Gemälde der Deutsch-Römer und Hans Thomas auf. Auch Hans von Marées und Adolph von Menzel kamen in das Mittelgeschoß, während in die untere Etage, deren Lichtverhältnisse sich durch den Bau des Pergamonmuseums auf der Westseite verschlechtert hatten, Werke geringeren Ranges gelangten.

Seine Erwerbstätigkeit richtete Hanfstaengl hauptsächlich auf das 19. Jahrhundert. Dies entsprach seinen Neigungen, war aber auch Ablenkungsmanöver. Es gelang ihm, Werke von hervorragender Qualität zu kaufen, drei Gemälde von C. D. Friedrich (›Der Watzmann‹, ›Zwei Männer am Meer‹, ›Mann und Frau in Betrachtung des Mondes‹) und von Gottlieb Schick ›Bildnis der Heinricke Dannecker‹ (alle Neue Nationalgalerie, Berlin-West). Aber auch neue zeitgenössische Kunst kam in die Sammlung, teils durch Tausch und 1935 durch eine Überweisung vom preußischen Staat Arbeiten von *Barlach, Dix, Jawlensky (Begierde, um 1925), Pechstein* und sieben Gemälde von OSKAR KOKOSCHKA. Fünf von ihnen befinden sich heute auf der Museumsinsel. Als die bedeutendsten wird man ein männliches Bildnis aus dem Frühwerk und *Die Jagd* von *1918* ansehen können. Jenes Porträt *Herr Hirsch,* auch *Bildnis in Blau* genannt, von *1908* oder *1909,* stellt einen gewissen Wilhelm Hirsch, Rechtsanwalt in Pilsen, dar. Kokoschka hatte ihn wohl durch den Architekten Adolf Loos, seinen Freund und Förderer der Wiener Jahre, kennengelernt. Von Loos stammt das Wort, Kokoschka sehe wie mit Röntgenaugen in die Menschen, die er porträtiert, hinein. Er seziere sie, weil er nicht auf den äußeren Schein, sondern auf ihre geistige Beschaffenheit, den psychischen Kern ihres Wesens aus sei. Auf besonders faszinierende Weise bestätigen die Porträts der frühen Jahre vor dem Ersten Weltkrieg diese Aussage, dank der genialischen Unbekümmertheit ihres Schöpfers gegenüber Regeln und Traditionen, denn als Maler war Kokoschka Autodidakt. Er hat das Porträtieren nie im akademischen Sinne gelernt und verließ sich allein auf seine Imagination. Sie führte ihn auf bisher unbegangene Wege, und man kann sagen, daß er der Bildnismalerei eine neue Richtung gegeben hat.

Die lange Reihe seiner Porträts verrät Interesse für einen bestimmten Menschentyp. Kokoschka bevorzugte vergeistigte Physiognomien von Intellektuellen, Künstlern und Menschen, denen die Natur oder das Leben jene eigentümlichen, wissenden Gesichter geformt hatte. Seine frühen Porträts haben etwas Schemenhaftes, Unkörperliches. Die Farben sind dünn und ungleichmäßig aufgetragen, sie verästeln sich wie ein Gespinst aus Adern und Nervenbahnen. Es ist, als ob man durch die Epidermis hindurchsieht. Immer wieder sind es Halbfiguren. Besondere Aufmerksamkeit gilt den Händen, die nie zur Ruhe kommen, nicht selten sich grotesk verrenken, als gehörten sie einem Pantomimen. Kokoschkas *Wilhelm Hirsch* legt wie zum Schutz den linken Unterarm, der ungewöhnlich schmal und lang wirkt, quer über den Unterkörper. Die ganze Person macht einen verspannten und unzugänglichen Eindruck. Das Gesicht ist das eines seelisch dünnhäutigen, leicht erregbaren Menschen.

Das Gemälde *Die Jagd*, das Faschismus und Krieg im Keller der Nationalgalerie überlebt hat, ist in Dresden entstanden und wohl von Rubens' ›Wildschweinjagd‹ in der dortigen Semper-Galerie inspiriert worden. Carl Einstein nannte es daher eine ›Hommage à Rubens‹. Und Paul Westheim, mit seinem Buch von 1918 der erste Biograf des Künstlers, spricht von einer der »anmutigsten Schöpfungen Kokoschkas… Die Reiter mit den Hunden, die in das Gehölz hineinsprengen, das hat wirbelnden Takt und schafft in dem Bild eine Flottheit der Bewegung, die mitreißt. Festlich heiter strahlt und schwillt die Farbe. Es ist ein Grün da, frisch wie junge Birken im Mai und in dieses Grün hineingewirkt, gibt es einen Reichtum an lebhaften, pulsenden Tönen, denen die Fläche dieses schwingende Tempo vor allem verdankt. Und dieser Leichtigkeit entspricht der Aufbau. Die Balance ist überraschend gehalten. Von der Konstruktion ist kaum etwas zu spüren; man fühlt nur, wie jeder Punkt und jeder Farbton in der Schwebe bleiben, wie es ein gegenseitiges Tragen und Weitertreiben ist. Ein Akkord wird angeschlagen, scheint im Gegenspiel aufzugehen, steigt an irgendeiner Stelle wieder empor und ist verstärkt und bereichert und neuer Harmonien trächtig.«

Nach 1933 wurden Sonderausstellungen zur modernen Kunst immer schwieriger. Bis zum Januar 1936 waren noch einige Werke von Barlach, Marcks, Macke, Lehmbruck, Rohlfs in einer Ausstellungsfolge, die ›Deutsche Kunst seit Dürer‹ hieß, im Prinzessinnenpalais zu sehen. Das Obergeschoß des benachbarten Kronprinzenpalais – die beiden unteren Etagen waren für die Sonderausstellung ›Große Deutsche in den Bildnissen ihrer Zeit‹ ausgeräumt worden – war noch während der Olympischen Spiele zugänglich. Man wollte offensichtlich, solange die Weltöffentlichkeit auf das olympische Sportgeschehen in Berlin blickte, den Schein wahren. Wenige Wochen darauf geschah dann das Unvermeidliche. Auf Anweisung der Regierung wurde das obere Stockwerk des Kronprinzenpalais für das Publikum gesperrt. Nach Schließung des ganzen Hauses am 5. Juli 1937 erschien zwei

Oskar Kokoschka   *Die Jagd*, 1918
Öl auf Leinwand, 100 x 150,5 cm
1935 erworben

Tage später eine Kommission unter Leitung von Adolf Ziegler, dem Präsidenten der ›Reichskammer der bildenden Künste‹, im Kronprinzenpalais, um die dort »befindlichen Werke deutscher Verfallskunst seit 1910 auf dem Gebiete der Malerei und der Bildhauerei zum Zwecke einer Ausstellung auszuwählen und sicherzustellen«. Gemeint ist die berüchtigte Propaganda-Schau ›Entartete Kunst‹, die am 19. Juli in der Galeriestraße in München von

Ziegler eröffnet wurde und später auch in anderen deutschen Städten zu sehen war. Aus dem Besitz der Nationalgalerie gingen 59 Gemälde, 4 Plastiken und 52 Zeichnungen mit einem Versicherungswert von 272 610 Reichsmark nach München. Im August erschienen abermals Kommissionen in der Nationalgalerie – Hanfstaengl war übrigens inzwischen entlassen und als kommissarischer Direktor Paul Ortwin Rave eingesetzt worden – und beschlagnahmten weitere 72 Gemälde, 24 Plastiken und 251 Zeichnungen mit einem Versicherungswert von 345808 Reichsmark. Unter den ausgesonderten Werken befanden sich auch Gemälde von Modigliani, van Gogh und Munch. Ihren formalen Abschluß fand diese einmalige Enteignungsaktion – übrigens »ohne Entschädigung, zugunsten des Reiches«, wie es hieß – am 9. Februar 1938, als die Nationalgalerie angewiesen wurde, die entfernten Werke im Inventar zu tilgen.

Zu Kriegsbeginn wurde die Nationalgalerie geschlossen und mit der Deponierung der Gemälde im Kellergeschoß begonnen. Obwohl sie hier verhältnismäßig sicher waren, erfolgte im Verlauf des Krieges ihre Auslagerung in die Reichsbank und in die Flaktürme am Zoo und Friedrichshain. Noch in den letzten Kriegstagen gingen zwei Transporte mit insgesamt 626 Gemälden in die Bergwerke Merkers und Grasleben in Thüringen. Hier wurden sie von amerikanischen und britischen Truppen aufgefunden und abtransportiert. Was in Berlin verblieben und den Bombenangriffen entgangen war – die Zahl der Kriegsverluste der Nationalgalerie beläuft sich auf etwa 800 Werke –, wurde von der Roten Armee in die Sowjetunion verbracht.

FERDINAND GEORG WALDMÜLLER
Frau Lindner mit ihrem Sohn, 1836
Öl auf Holz, 31,7 x 26,5 cm
1938 erworben

Waldmüller, gebürtiger Wiener und Hauptvertreter des österreichischen
Biedermeier, malte Stilleben, Landschaften, Genrebilder und Porträts, letz-
tere vor allem in den dreißiger Jahren. Sie zeichnen sich durch treffsichere
Charakterisierung, Nüchternheit und Genauigkeit in der Darstellung des
Stofflichen aus.

75

Max Pechstein
Sitzender weiblicher Akt, 1910
Öl auf Leinwand, 80 x 70 cm
1951 erworben

NEUBEGINN

Erst in den Jahren 1957/58 kehrten die von den Alliierten abtransportierten Bestände nach Berlin zurück, in eine National-galerie, die wie Deutschland und seine ehemalige Hauptstadt inzwischen gespalten worden war. Seit 1948 gibt es die Neue Nationalgalerie in Berlin-West (heute in der Potsdamer Straße) und die Nationalgalerie auf der Museumsinsel, zu der verwal-tungsmäßig neben dem Stammhaus auch das Alte Museum, das Schinkelmuseum Friedrichswerdersche Kirche und das Otto-Nagel-Haus gehören.

In der Zwischenzeit war man jedoch nicht untätig gewesen. Noch im November 1945 beschloß der Magistrat der damals noch ungeteilten Stadt in deutlicher Anlehnung an die Traditionen der Nationalgalerie die Gründung einer ›Galerie des 20.Jahrhun-derts‹, die anfangs von Adolf Jannasch und dann von Ludwig Justi, seit 1946 Generaldirektor der Staatlichen Museen, geleitet wurde. Sie hatte ihren Sitz im Berliner Schloß und erwarb bis 1948 etwa 50 Gemälde, 20 Plastiken und 100 Zeichnungen, die nach der Spaltung der Stadt zum größten Teil in Ostberlin verblie-ben und im Jahre 1951 als Schenkung des Magistrats in den Besitz der Nationalgalerie übergingen.

Unter den Gemälden befanden sich zwei Arbeiten MAX PECH-STEINS, ein Selbstbildnis von 1926 und der *Sitzende weibliche Akt, 1910* an den Moritzburger Seen entstanden und eines von Pechsteins bedeutendsten Werken aus der ›Brücke‹-Zeit, seiner vielleicht ertragreichsten Schaffensperiode. Als Modell dienten ihm und seinen Freunden Heckel, Kirchner und Schmidt-Rottluff in jenen Jahren oft die beiden Töchter einer Dresdener Artistenwitwe, die, nachdem man sie von dem »ernsten künstle-rischen Wollen« überzeugt hatte, damit einverstanden war, »daß ihre Töchter sich mit uns nach Moritzburg aufmachten« (Pechstein).

Nachdem das Stammhaus der Nationalgalerie 1948 ein Notdach erhalten hatte, begann der Ausbau der Eingangshalle und des ersten Ausstellungsgeschosses, das 1949 wieder zugänglich war. Justi richtete dort eine Ausstellung mit Werken des 19. Jahrhunderts ein und stellte in die Querhalle, genau in die Mittelachse, so daß man sie bei geöffneten Türen schon beim Eintreten in das Vestibül sehen konnte, die sogenannte Prinzessinnengruppe von Gottfried Schadow, die den Krieg im Berliner Dom überdauert und vorher im Parolesaal des Schlosses gestanden hatte.

JOHANN GOTTFRIED SCHADOW, seit 1788 preußischer Hofbildhauer, begann die *Prinzessinnengruppe* auf Anregung des Freiherrn von Heinitz, des Kurators der Akademie der Künste, der anfangs wohl nur an eine kleine Gruppe in Biskuitporzellan gedacht hatte. Die überzeugende Qualität des *1795* fertiggestellten lebensgroßen Gipsmodells veranlaßte Friedrich Wilhelm II. am 6. Januar 1796 die Übertragung in Carrara-Marmor anzuordnen, was in den folgenden zwei Jahren geschah.

Zwei lateinische Inschriften auf dem Sockel bezeichnen die beiden Marmorfiguren als Luise, Gemahlin des preußischen Kronprinzen, und deren Schwester Friederike, Gemahlin des preußischen Prinzen Louis. Ergänzen sollte man, daß die Hochzeit der beiden im Jahre 1793 stattgefunden hatte und die Prinzessinnen die Töchter des Herzogs Karl von Mecklenburg-Strelitz waren. Ihre Schönheit entzückte die Zeitgenossen. Goethe sprach sogar von »himmlischen Erscheinungen«. Heinitz' Idee, sie in Porzellan zu verewigen, war zweifellos eine Reaktion auf diese Begeisterung und befriedigte auch das Bedürfnis des Königshauses nach Selbstdarstellung.

Die Marmorgruppe der Prinzessinnen ist Schadows beliebteste und vielleicht auch beste Arbeit. Daß ihr gefühlvoller Charme nichts Sentimentales hat, verdankt sie dem überlegenen Formwillen ihres Schöpfers, der sich der Gefahren eines solchen Sujets wohl bewußt war. Inspiriert hatte ihn eine hellenistische Skulptur des 1. Jahrhunderts vor Chr., die sogenannte San-Ildefonso-Gruppe (Prado, Madrid). Als Ganzes trägt Schadows Werk aber unübersehbar das Siegel eines unabhängigen Geistes. Davon zeugt auch der souveräne Umgang mit den leichten Gewändern, die die Körper bedecken und akzentuieren, doch sich auch als kunstvoll arrangierte Materie präsentieren. In ihrem Schnitt mischt sich Antikes mit Modernem.

JOHANN GOTTFRIED SCHADOW
Doppelstandbild der Kronprinzessin Luise und der Prinzessin
Friederike von Preußen, 1796/97
Marmor, H. 172 cm
Seit 1949 in der Nationalgalerie

Zu den Gemälden, die die Nationalgalerie 1951 vom Berliner Magistrat erhielt, gehörten auch die *Papua-Jünglinge* von EMIL NOLDE, die *Parkbank am Wedding* von OTTO NAGEL und *Marianne Vogelsang* von OTTO DIX, drei Werke von sehr unterschiedlicher Eigenart und Herkunft. NOLDE, seit 1922 im Kronprinzenpalais vertreten, wurde, wie auch Nagel und Dix, während der Naziherrschaft als ›entartet‹ diffamiert, 1941 erhielt er sogar Malverbot. Er kam vom Impressionismus her und wurde einer der Hauptvertreter des Expressionismus, dem er eine phantastisch-visionäre Note verlieh. Obwohl zeitweilig zur ›Brücke‹ gehörend, war Nolde ein Einzelgänger mit starker Neigung zum Urtümlichen und Exotischen. *1913/14* nahm er an einer ›Medizinisch-demographischen Deutsch-Neuguinea-Expedition‹ des Reichskolonialamtes teil, die ihn auch nach Käwieng auf der Insel ›Neumecklenburg‹ führte. Dort entstanden während erholsamer, glücklicher Wochen die *Papua-Jünglinge*, die in Wirklichkeit junge Melanesier waren, ›Urmenschen‹ fern jeder Zivilisation. Sie »leben in ihrer Natur, sind eins mit ihr und ein Teil vom ganzen All. Ich habe zuweilen das Gefühl, als ob nur sie noch wirkliche Menschen sind, wir aber etwas wie verbildete Gliedergruppen, künstlich und voll Dünkel«, heißt es in einem Brief vom März 1914. Das Bild hat eine starke suggestive Kraft, die aus der kontrastreichen, zu höchster Intensität gesteigerten Farbigkeit und der geheimnisvollen, angespannten Bewegungslosigkeit dieser drei ›Wilden‹ zu kommen scheint, die vor einem seit Urzeiten wogenden Meer sitzen.

OTTO NAGEL lebte und arbeitete lange im Berliner Arbeiterviertel Wedding, er war Autodidakt und entwickelte sich in den zwanziger Jahren zu einem Maler des Proletariats: »Die armselige Kreatur, der Geprügelte und Unterdrückte, in dessen Gesicht und Haltung sich das ganze Elend seines Lebens ausdrückte, stand mir nahe; er war mein Bruder.«

1926 begann Nagel einen Gemäldezyklus, der das Leben des Proletariats in typischen Szenen darstellen sollte. Erhalten geblieben ist davon nur die *Parkbank*, die zum erstenmal auf der Berliner Akademieausstellung von 1928 zu sehen war; Liebermann soll sie zu den besten Bildern der Ausstellung gerechnet haben.

Nagels Malerei meidet den Effekt, sie ist technisch anspruchslos, bricht die Farben mit Grau, es fehlen die tonigen Übergänge,

CHRISTIAN DANIEL RAUCH
Sitzende, kranzwerfende Victoria
Marmor, H. (mit ergänztem Flügel) 225 cm

1951 erworben durch Überweisung beim Abbruch des Berliner Schlosses.
Marmorwiederholung einer der sechs Ruhmesgenien Rauchs für die
Walhalla bei Regensburg. Dieses Exemplar wurde im Auftrag Friedrich
Wilhelms IV. ausgeführt und 1845 im Weißen Saal des Berliner Schlosses
aufgestellt.

OTTO NAGEL   *Parkbank am Wedding*, 1927
Öl auf Leinwand, 135,5 x 198 cm
1951 erworben

dafür findet man schwarzgraue Konturen. Diese Formgesinnung
dient dem Thema. Alte Menschen sitzen auf einer Bank, die, wie
man noch deutlich erkennen kann, ursprünglich mit zwei weiteren Personen besetzt war. Nagel hat sie übermalt, um den
Zustand, in dem sich die Sitzenden befinden, deutlicher werden
zu lassen: ihre Verlassenheit und Einsamkeit in einer Umgebung,
die einem Gefängnishof gleicht. Auch das spielende Kind vermag
die triste Stimmung nicht aufzuheitern. Beeindruckend ist die
Würde, die der Künstler diesen von ihrem harten Leben Gezeich-
neten verliehen hat.

Unter den deutschen Malern des 20. Jahrhunderts gehört auch
OTTO DIX zu den großen Anklägern sozialer Ungerechtigkeit. Von
1925 bis 1927 lebte er in Berlin, anschließend ging er für sechs
Jahre als Lehrer an die Kunstakademie nach Dresden. Dort entstanden zahlreiche Porträts, darunter die vieler Künstler, wie das
schon erwähnte *Bildnis Theodor Däublers (1927)*, dasjenige *Franz
Radziwills (1928)* und *Heinrich Georges (1932)*. *Marianne Vogelsang* war Tänzerin, eine Schülerin von Mary Wigmann. Dix stellt
sie vor goldgelbem Grund dar, im schwarzen ärmellosen Kleid
und zinnoberrotem Käppi. Die ruhige Haltung mit dem aufge-

Emil Nolde   *Papua-Jünglinge*, 1914
Öl auf Leinwand, 70 x 103,5 cm
1951 erworben

Otto Dix
*Marianne
Vogelsang*, 1951
Mischtechnik
Leinwand auf Holz
60 x 44 cm
1951 erworben

ALEXEJ VON JAWLENSKY   *Stilleben mit Blumen und Früchten*, 1910
Öl auf Pappe, 49,5 x 53,5 cm
1951 erworben

Von den ›Fauves‹, van Gogh und Cézanne beeinflußtes Frühwerk. »Äpfel,
Bäume, menschliche Gesichter sind für mich nur Hinweise, um in ihnen
etwas anderes zu sehen: das Leben der Farbe, erfaßt von einem Leidenschaft-
lichen, einem Verliebten« (Jawlensky, 1905).

stützten Arm soll typisch für sie gewesen sein, wie man überhaupt
von der Wahrhaftigkeit dieses Porträts, das in der Tradition der
alten Niederländer und Italiener steht, überzeugt ist.

Nach der Wiederherstellung des Mittelgeschosses wurde im
Jahre 1954 in der Nationalgalerie wieder moderne Kunst gezeigt,
in einem Saal Expressionisten, in einem anderen Werke lebender
Künstler wie *Fritz Cremer, Otto Dix, Heinrich Ehmsen, Carl Hofer,
Otto Nagel, Gustav Seitz*. Ein Jahr darauf waren Außenfront,
Treppenhaus und Obergeschoß fertig, so daß das ganze Haus wie-
der genutzt werden konnte. Gleichsam seine Weihe empfing es
durch die Meisterwerke der Dresdener Gemäldegalerie, die nach

ihrer Rückgabe durch die Sowjetunion von November 1955 bis April 1956 in der Nationalgalerie zum erstenmal wieder dem deutschen Publikum zugänglich gemacht wurden. 1958 erhielten auch die Nationalgalerie und andere Museen der DDR ihre von der sowjetischen Armee abtransportierten Bestände zurück. Auch sie waren, bevor sie an ihre angestammten Plätze zurückkehrten, in einer Sonderausstellung auf der Museumsinsel zu sehen.

Seit 1958 hat sich im Stammhaus der Nationalgalerie nicht allzuviel verändert. Die erste Ausstellungsetage ist dem 19. Jahrhundert, das Mittelgeschoß der ersten Hälfte des 20. Jahrhunderts vorbehalten. Die Kunst nach 1945, die anfangs im Obergeschoß ausgestellt war, ist 1966 in das Alte Museum umgezogen. Das Obergeschoß wird seitdem für Sonderausstellungen genutzt. 1970 war der Wiederaufbau des Stammhauses im wesentlichen vollendet.

MAURICE DE VLAMINCK   *Stilleben*, um 1920
Öl auf Leinwand, 60 x 75 cm, 1951 erworben

Obwohl der Nationalgalerie bislang nur ein begrenzter Etat zur Verfügung stand und ihrer Erwerbstätigkeit auch aus Gründen der DDR-Staatsräson Grenzen gesetzt waren – systematisch konnte nur die Kunst des eigenen Landes gesammelt werden –, gelangten auch in den vergangenen vierzig Jahren bedeutende

ALEXANDER KANOLDT
Olevano, 1927
Öl auf Leinwand, 91 x 71 cm
1951 erworben

OSKAR SCHLEMMER
Weißer Jüngling, 1930
Öl auf Leinwand, 60 x 45,5 cm
1951 erworben

Eine der zahlreichen Darstellungen italienischer Bergstädte, deren
›geschachtelter‹ Aufbau Kanoldts Formvorstellungen entgegenkam. Die prä-
gnant gesehenen Kuben der Häuser sind in eine kristallinisch klare, gleichsam atmosphärelose Bergwelt gesetzt. Mit Carl Mense und Georg Schrimpf,
die ebenfalls in den zwanziger Jahren in München tätig waren, vertrat
Kanoldt eine neoklassizistische und neoromantische Variante der Neuen
Sachlichkeit.

87

Auf der Rückseite des
Gemäldes steht geschrieben:
»dies Bildnis gehört meiner
Schwester Agathe Thoma
gemalt in Bernau Hans
Thoma«. Der Künstler hat
seine Verwandten oft dargestellt, stets, wie in diesem
Frühwerk, als bescheidene,
naturverbundene Men-
schen, für die das Industriezeitalter noch in weiter Ferne
zu liegen scheint.

HANS THOMA
Bildnis der Schwester Agathe
1863
Öl auf Leinwand, 55 x 46 cm
1954 erworben

JOACHIM KARSCH
Zwei Schwestern, 1931
Bronze, H. 105 cm
1951 erworben

Diese spannungsvolle, beklei-
dete Frauengruppe hat eine
starke soziale Komponente.
Sie lebt von den Gesten und
Gesichtern, aus denen Einsamkeit und Sehnsucht nach
Geborgenheit sprechen.
Karschs Vorbilder waren Wilhelm Lehmbruck und Käthe
Kollwitz. Beeinflußt hat ihn
aber auch Ernst Barlach, wie
diese Arbeit, eines seiner
Hauptwerke, deutlich macht.

KARL BLECHEN
Park der Villa d'Este
Öl auf Leinwand, 127,5 x 94 cm
Seit 1958 in der Nationalgalerie

Das Gemälde war 1852 auf der Berliner Akademieausstellung zu sehen. Es
verarbeitet Eindrücke der Italien-Reise von 1828/29 und enthält wie kaum
eine andere, im Atelier entstandene große Arbeit starke Elemente der Plein-
airmalerei. Daß Blechen sein Gemälde als Historienbild verstand, machen
die Figuren, die Renaissancekostüme tragen, deutlich.

LUDWIG RICHTER   *Der Dorfgeiger*, 1845
Öl auf Leinwand, 25,8 x 36 cm
1973 erworben

Richter malte das Bild für seinen Leipziger Verleger Georg Wigand. Das
Gehöft, vor dem die Szene spielt, befand sich in Loschwitz bei Dresden und
war ein beliebtes Motiv der Dresdener Landschaftszeichner.

CHRISTIAN ROHLFS   *Berkaer Landstraße*, um 1889
Öl auf Leinwand, 30,5 x 46,5 cm, 1961 erworben

CARL HOFER   *Die Wächter*, 1936
Öl auf Leinwand, 152 x 127 cm
1980 erworben

Hofer, seit 1920 Lehrer an der Berliner Kunsthochschule, wurde 1933 als
›entartet‹ gebrandmarkt und aus dem Lehramt gedrängt. Wie andere Werke
aus der Zeit von 1933 bis 1945, haben auch ›Die Wächter‹ einen politischen
Bezug und sind als Sinnbild des Widerstandes zu verstehen.

Dargestellt ist die Straße von Weimar nach Bad Berka. Rohlfs studierte von
1870 bis 1884 an der Weimarer Kunstakademie, gegen Ende dieser Zeit
◁ wandte er sich dem Impressionismus zu.

GEORG MUCHE   *Dreiklang*, 1920
Öl auf Leinwand, 75 × 55 cm
1965 erworben

Während der Tätigkeit am Bauhaus in Weimar entstanden, wo Muche die
Weberei-Klasse leitete.

GEORG SCHRIMPF   *Zwei Mädchen am Fenster*, 1937
Öl auf Leinwand, 78,5 x 73 cm
1966 erworben

Seit den zwanziger Jahren malte Schrimpf häufig Darstellungen von jungen
Mädchen, die in ein zeitloses Dasein entrückt scheinen. Das Motiv des geöffneten Fensters geht auf die Romantik zurück, ebenso der zeichnerische Stil.

Werke des 19. und frühen 20. Jahrhunderts in ihren Besitz. So
1969 aus Privathand das Gemälde *Grünes Mädchen* von KARL
SCHMIDT-ROTTLUFF. Der Künstler malte die sitzende Halbfigur
unter dem Eindruck des Ausbruchs des Ersten Weltkrieges: »Ich
habe jetzt sehr den Druck, noch möglichst Starkes zu schaffen –
der Krieg hat mir richtig alles Vergangene weggefegt – alles
kommt mir matt vor, und ich sehe die Dinge plötzlich in ihrer
furchtbaren Gewalt. Ich habe nie die Kunst gemocht, die ein schö-

KARL SCHMIDT-ROTTLUFF   *Grünes Mädchen*, 1914/15
Öl auf Leinwand, 85 x 76 cm
1969 erworben

ner Augenreiz war und sonst nichts, und doch merke ich elemen-
tar, daß man zu noch stärkeren Formen greifen muß, so stark, daß
sie der Wucht eines solchen Völkerwahnsinns standhalten.« Seine
Wendung zum Figuralen hatte schon 1910 begonnen. Damals
dominierte aber noch die intensive, ungebrochene Farbe. Nun,
besonders in den letzten Monaten vor der Einberufung zum
Kriegsdienst, wandelte sich die Palette in erdiges Grün und
Braun, die Farbe wurde zweitrangig. Unter dem Einfluß des
Kubismus und der Negerplastik gewannen die Köpfe, die
Schmidt-Rottluff malte, blockhafte Massigkeit, wie mit der Axt
aus dem Holz geschlagen. So auch hier. Ein ungeheurer Ernst,

der etwas Bedrohliches hat, spricht aus den maskenhaften Gesichtszügen. Sie sind starr wie der ganze Körper und die mehrfach gewinkelten Arme, deren Gelenke an Scharniere denken lassen. Malerei ist hier zum Ausdruck von Selbstbehauptungswillen geworden.

Zu den herausragenden Erwerbungen der jüngeren Vergangenheit (aus dem Jahre 1980) gehört ohne allen Zweifel das Gemälde *Der geblendete Simson*, ein Werk des reifen CORINTH. Es entstand *1912* in Berlin, wo der Künstler seit 1900 lebte und eine bedeutende Rolle in der Sezession spielte. Das Simson-

LOVIS CORINTH   *Der geblendete Simson*, 1912
Öl auf Leinwand, 130 x 105 cm, 1980 erworben

Thema aus dem Alten Testament hat ihn wie andere Impressionisten wiederholt beschäftigt. Hier zum letzten Male, in kaum noch zu überbietender Dramatik. Seiner übernatürlichen Stärke beraubt, geblendet und gefesselt, als frontal gegebene Dreiviertelfigur in der vordersten Bildebene, tritt Simson dem Betrachter entgegen. Ein Bild des Elends und der Ohnmacht, gemalt in einem heftigen, fast wilden Pinselduktus, der auch etwas Unbeholfenes hat, was dem ein Jahr vorher erlittenen Schlaganfall zuzuschreiben ist. Corinth mag in diesem Simson auch seine damalige eigene Befindlichkeit ausgedrückt haben.

Das Stammhaus der Nationalgalerie steht heute am Beginn eines neuen Kapitels seiner bewegten Geschichte. In nicht allzu ferner Zukunft wird hier zum Ereignis werden, was bisher nur schöne Vision sein konnte: die Vereinigung der Bestände der beiden Nationalgalerien in Ost und West zu einem Museum europäischer Kunst des 19. Jahrhunderts.